GRANDE OUTRA VEZ

★ ★ ★

COMO RECUPERAR A AMÉRICA DEBILITADA

Donald J. Trump

CITADEL
Grupo Editorial

Published by arrangement with the original publisher, Simon & Schuster, Inc.

Tradução:
Celso Paschoa

Autor:
Donald Trump

Capa:
Pâmela Siqueira

Assistente de criação:
Dharana Rivas

Diagramação:
Dharana Rivas

Preparação de texto:
Lúcia Brito

DADOS INTERNACIONAIS DE CATALOGAÇÃO NA PUBLICAÇÃO (CIP)

T871g Trump, Donald John
Grande outra vez : como recuperar a América debilitada / Donald J. Trump – Porto Alegre : CDG, 2017.
208 p.

ISBN: 978-85-68014-43-1

1. Sucesso pessoal 2. Relações interpessoais 3. Sistemas econômicos 4. Política econômica I. Título.

CDD - 330.973

Bibliotecária Responsável:
Andreli Dalbosco – CRB 10-2272

Produção editorial e distribuição:

CITADEL
Grupo Editorial

contato@citadeleditora.com.br
www.**citadeleditora**.com.br

Este livro é dedicado aos meus pais, Mary e Fred C. Trump,
e a meus irmãos e irmãs — Maryanne, Robert, Elizabeth e Fred.
Também à minha adorável esposa, Melania, e a meus filhos,
Don Jr., Ivanka, Eric, Tiffany e Barron, que me apoiam incondicionalmente.

E, de forma importante, às pessoas que estão prontas
para tornar a América grande outra vez!

SUMÁRIO

★ ★ ★

INTRODUÇÃO

★ ★ ★

"Vou estudar e me preparar, e quem sabe chegue a minha chance."

— ABRAHAM LINCOLN, 16º PRESIDENTE DOS ESTADOS UNIDOS

SEMPRE GOSTEI DE LER frases de grandes homens e mulheres da história, e essa é uma citação de Abraham Lincoln que ecoa em mim desde os tempos da escola. Sou alguém que gosta de estar preparado, e minha atividade como construtor exige que eu faça muito trabalho de base antes de me lançar em qualquer empreendimento. Palpites não têm vez quando se trata de construção — o trabalho tem que ser sólido desde o ponto de partida. Em resumo, como empreiteiro, tenho que estar preparado.

Recentemente, passei por uma campanha árdua, e o fato de ter vencido a eleição para presidente dos Estados Unidos não foi grande surpresa para mim. Acredite, nunca dei esse resultado como garantido, mas me preparei para ele durante muitos anos. Sempre fui patriota, e meu amor por este país foi um ímpeto em favor da realização desde a minha infância. Minha dedicação vai fundo, e meu foco jamais vacilou. Eu estava pronto e estava preparado.

Quando existe alguma coisa com a qual você se importa profundamente, ela lhe dá uma energia incrível. Chamo isso de paixão. Sou conhecido por dizer que sem paixão não se consegue ter grande sucesso. Isso é algo que meu pai ensinou, e o resultado da campanha presidencial de 2016 é um exemplo claro desse conselho. O interesse e paixão que tenho por este país foram suficientes para proporcionar a força exigida para superar alguns obstáculos muito grandes e chegar ao cargo onde eu poderia fazer diferença. Meu pai estava certo a respeito da paixão — e a sabedoria dele é um dos ingredientes básicos dessa vitória.

Qual a sensação de ter ganho essa eleição? Maravilhosa. As dificuldades valeram a pena e, embora eu saiba que tem mais pela frente, tudo valerá a pena por servir ao país do qual tenho um orgulho incrível. Sou grato por ter recebido essa oportunidade, e o "quem sabe" do presidente Lincoln tornou-se realidade para mim.

Os Estados Unidos merecem a melhor liderança, e estou preparado para dar tudo. Somos abençoados além do imaginável por viver neste país extraordinário, e vou garantir que nossa boa fortuna permaneça intacta. Juntos, faremos a América grande outra vez!

PREFÁCIO

★ ★ ★

É PRECISO ACREDITAR

AS PESSOAS DIZEM que tenho autoconfiança. Pode ser.

Quando comecei a me expressar publicamente, fui realista.

Sabia que os incompetentes e impacientes oposicionistas do *status quo* ansiosamente se alinhariam contra mim:

Os políticos que iludem amplamente com suas falas em campanhas — e agem como completos fracassados quando tentam efetivamente governar.

Os lobistas e grupos de interesses especiais com as mãos em nossos bolsos em nome de seus clientes.

Os integrantes da mídia que estão tão perdidos no que se refere à justiça que não têm nenhum conceito sobre a diferença entre "fato" e "opinião".

Os imigrantes ilegais que ocuparam empregos que deveriam ser destinados à nossa população legal, enquanto mais de 20% dos americanos estão atualmente desempregados ou em subempregos.

O Congresso, que está num beco sem saída há anos e é virtualmente incapaz de lidar com qualquer um de nossos problemas domésticos mais urgentes, ou inclusive os mais básicos, como aprovar um orçamento.

Enquanto isso, o alicerce deste país — a classe média — e aqueles 45 milhões presos à pobreza têm visto sua renda declinar nos últimos 20 anos. Compreensivelmente, seu desencanto e frustração com o que está acontecendo crescem a cada dia.

E até nossos advogados e juízes, os "sábios" pensativos, têm pisado na Constituição americana, o baluarte de nossa democracia. Eles têm apressadamente apontado a si mesmos como elaboradores de diretrizes, pois nossos parlamentares eleitos estão paralisados pelo proselitismo.

Quanto à presidência e ao setor executivo, a incompetência está além da imaginação.

Enquanto escrevo este livro, o presidente russo Vladimir Putin está passando a perna em nosso presidente ao aglutinar uma coalizão na Síria que fará dele o único líder efetivo mundial. Ele e seus aliados — mais notadamente o Irã — se posicionaram exatamente onde o presidente Obama e nossas forças armadas falharam tremendamente ao longo dos anos.

Desperdiçamos literalmente trilhões de dólares no Oriente Médio, com virtualmente nada para exibir dessas iniciativas, exceto a alienação de nosso melhor aliado, Israel. Para piorar a situação, negociamos um tratado nuclear custoso e sem valor com o Irã (no momento, o maior aliado russo) na suposição de que resultaria em uma maior harmonia e paz mundial.

O conceito da grandeza americana, de nosso país como líder do mundo livre e a ser liberto, desapareceu.

Apesar de todos os desafios — e na realidade por causa deles —, decidi fazer algo a respeito. Não consegui ficar parado e ver o que estava ocorrendo ao nosso maravilhoso país. Esse caos pede por liderança do pior modo possível. Necessita de alguém com bom senso e perspicácia nos negócios, uma pessoa que possa realmente reconduzir a América ao que nos fazia poderosos no passado.

Precisamos de alguém com um histórico comprovado de sucesso nos negócios, que entenda o que é grandeza, uma pessoa que possa nos reagrupar para o padrão de excelência outrora epitomizado e que explique o que precisa ser feito.

Quando comecei a falar publicamente, não tinha ideia de qual seria a reação. Sei que sou um grande construtor, mas não tinha exposto completamente minhas ideias e pensamentos políticos para restaurar a grandeza americana.

Sabia também que a marca Trump é um dos grandes ícones mundiais de qualidade e excelência. Nossos edifícios e resorts agora se destacam muito orgulhosamente (e lindamente) por todos os Estados Unidos e em vários outros países.

Comecei com a questão da imigração ilegal e propus a construção de um grande muro muito alto e completamente impenetrável para o fluxo de imigrantes que não desejamos ou não necessitamos que fiquem aqui ilegalmente.

De repente, os americanos começaram a acordar para o que estava ocorrendo a respeito da imigração ilegal. Apesar do número expressivo de candidatos que disputavam a indicação republicana, o que eu dizia começou a realmente ser entendido e ter um grande impacto sobre as pessoas.

Comecei a atrair multidões tão grandes que tivemos de mudar nossos comícios para estádios de futebol. O primeiro debate nacional atraiu 24 milhões de espectadores, o que estabeleceu um recorde para a televisão a cabo. Apesar de algumas perguntas antagônicas ridículas — ou talvez por causa delas —, revidei como sempre faço e comecei a explicar meus pontos de vista. Como resultado, a maioria das pessoas considerou que venci o debate.

As pessoas estavam aplaudindo. De repente, indivíduos que jamais se preocuparam com eleições ou que nunca tinham votado corriam para os nossos comícios.

A mídia, os políticos e os supostos líderes de nosso país reagiram horrorizados, mas perseverei e me dirigi diretamente às pessoas, pois não preciso de suporte financeiro de ninguém, nem preciso de aprovação para o que digo ou faço. Eu apenas tinha de fazer a coisa certa.

Agora, comecei a inserir alguns detalhes de meus pontos de vista. Lancei um plano fiscal que oferece à classe média e aos pobres uma chance de conservar mais de seus rendimentos, enquanto reestruturo como os ricos pagarão impostos.

Estou comprometido com uma força militar realmente mais poderosa, preparada e equipada para enfrentar qualquer um e todos os nossos inimigos. Quando esboçamos um plano de trabalho, ele precisa significar algo para todos — especialmente para nossos inimigos.

Introduzi uma abordagem inteiramente nova para a criação de empregos, estimulando as empresas a repatriar mais vagas e postos de trabalho aqui para a América, bem como os trilhões de dólares correntemente depositados em bancos no exterior.

Expliquei por que o *Obamacare* é uma solução custosa e ridícula para os nossos problemas de saúde e que devia ser repelido e substituído por uma opção muito melhor. Precisamos corrigir o problema, criando competição no setor privado entre empresas de seguro, possibilitando aos pacientes escolherem os médicos de família que desejam.

Competição é uma palavra mágica na educação também. Os pais devem ter o direito de escolher as escolas em que seus filhos possam obter o melhor ensino. As escolas mais fracas serão fechadas, e professores ineficientes, demitidos. Uma educação igual para todos — *Common Core* — é ruim. A educação deve ser baseada localmente.

Na parte doméstica, precisamos empreender uma grande reconstrução de nossa infraestrutura. Um número excessivo de pontes tornaram-se perigosas, nossas estradas estão decadentes e cheias de buracos, enquanto engarrafamentos de trânsito custam milhões em perda de renda para motoristas com empregos em cidades congestionadas. O transporte público vive superlotado e não é confiável, e nossos aeroportos devem ser reformados.

Eu poderia prosseguir a respeito de muitas ideias apresentadas neste livro e mais ideias que apresentarei a seguir, mas deixe-me acrescentar que, embora meus críticos estejam forçando suas agendas políticas, a última coisa que precisamos são mais planos que se evaporem após as eleições.

O que precisamos é de uma liderança que consiga lidar com essa bagunça e comece a aplicar soluções práticas a nossos problemas. Meu objetivo não é elaborar centenas de páginas de regulamentações governamentais, tampouco estimular a burocracia, como outros propõem. Precisamos esboçar políticas comunitárias com bom senso e então formar equipes, se necessário, para fazê-las funcionar.

Sei como lidar com questões complexas e como reunir todos os elementos necessários para o sucesso. Fiz isso durante décadas e consolidei uma grande empresa e um patrimônio líquido gigantesco.

Este livro é concebido para oferecer ao leitor um melhor entendimento sobre mim e minhas visões para o nosso futuro. Sou um cara realmente bacana, mas também apaixonado e determinado a fazer com que nosso país seja grande outra vez.

É hora de revertermos a América do desespero e da ira para a de alegria e realizações. Isso pode acontecer e acontecerá.

Nossos melhores dias ainda estão por vir. Há muitas grandezas não exploradas em nosso país. Somos ricos em recursos naturais e também em talento humano.

Aprecie a leitura deste livro, e juntos vamos tornar a América grande outra vez!

1

★ ★ ★

VENCENDO OUTRA VEZ

A AMÉRICA PRECISA começar a vencer outra vez.

Ninguém gosta de perdedores e ninguém gosta de ser intimidado. No entanto, aqui estamos hoje, a maior superpotência da Terra, e todos estão comendo o nosso almoço. Isso não é vencer.

Temos um presidente que tenta ser durão e estabelecer limites, mas, quando esses limites são ultrapassados, não há repercussões.

E quando tentamos negociar com os outros países? Não nos posicionamos. Não ameaçamos nos retirar. E, mais importante, não nos retiramos. Fazemos concessão após concessão. Isso não é vencer.

Se eu gerisse o meu negócio dessa forma, me demitiria.

Considere um dos piores acordos de nossa história — o "tratado" nuclear com o Irã — que John Kerry negociou e o presidente Obama empurrou para o Congresso. (Ou melhor, convenceu seu partido a apoiá-lo e obstruiu qualquer debate ou votação a respeito.) Este é provavelmente o tratado mais importante de nossa época, e nossos parlamentares estúpidos não conseguiram nem mesmo se reunir para discutir ou votar nele.

Ronald Reagan disse: "Confie, mas verifique", mas nesse caso não estamos seguindo nada desse conselho. Como podemos confiar em um homem como o aiatolá Khamenei? Exatamente um mês antes de aprovarmos o tratado, ele reiterou que seu país estava empenhado em destruir e eliminar Israel, nosso aliado mais importante e parceiro de longa data na preservação de alguma ilusão de estabilidade na região. E, quanto à verificação, nem mesmo sabemos que acordos laterais a Agência Internacional de Energia Atômica celebrou com o Irã. Ou, se sabemos, não foram revelados publicamente.

Isso não é vencer; na minha opinião, é uma negligência criminosa.

Então, quando todos os senadores republicanos criticaram esse acordo (e alguns dos democratas também), o presidente comparou suas críticas a nossos adversários.

Em outras palavras, ele atraiçoa seus amigos e aliados e depois defende seu tratado comparando os críticos a nossos inimigos.

Isso é o que chamamos de diplomacia bem-sucedida?

Agora, vamos abrir os portões a refugiados de países como a Síria, que é como estender um convite pessoal aos membros do Estado Islâmico para que venham viver aqui e tentem destruir nosso país de seu interior.

Esta é a América de hoje, a cidade brilhante no topo de uma colina, que outros países costumavam admirar e tentavam imitar.

Assim, o que pode ser feito sobre isso? Como começamos a vencer oura vez?

Para começar, precisamos de um governo comprometido em vencer e que tenha experiência em vencer. Este livro aborda como podemos fazer isso.

★

No início de setembro de 2015, discursei em um grande comício em Washington, D.C. Disse que precisávamos de uma força militar que seja tão forte que não tenhamos de utilizá-la. E depois perguntei: “Você está ouvindo, presidente Obama?”. Praticamente toda a multidão aclamou minha fala, mas entendi por que alguns estavam céticos. Os americanos estão acostumados a ouvir as mesmas antigas promessas dos mesmos políticos desgastados que jamais produzem quaisquer resultados, que dirá vitórias. Eu deveria saber. Durante anos doei dinheiro — muito dinheiro — a candidatos de ambos os partidos que pediram meu apoio para suas campanhas. Eles prometeram fazer mudanças com a aplicação de novas ideias e recolocar o governo no seu objetivo original, mais limitado, de proteger nosso país e priorizar nosso povo.

Um candidato após o outro fez todo tipo de promessa como essa, e muito pouco, se é que algo, foi feito. Quantos desses problemas foram resolvidos? Em Washington, nada parece avançar.

Veja o Congresso, que tem uma reputação compreensivelmente negativa entre os americanos.

E por que não? Os parlamentares não fazem nada.

Não conseguem aprovar nem um orçamento anual e batem boca constantemente, o que indica que simplesmente empurram todos nossos problemas e nossa imensa dívida para nossos filhos e, possivelmente, nossos netos.

Isso tem de parar.

Finalmente, concluí que a América não precisa de mais políticos "muito papo, nenhuma ação" para administrar nossas demandas, mas sim de executivos inteligentes que saibam como gerenciar. Não precisamos de mais retórica política, mas sim de bom senso. "Se não está quebrado, não conserte, mas se estiver quebrado, chega de conversa e vamos consertar."

Eu sei como consertar.

Muita gente estava me estimulando a expor publicamente minhas ideias, e compreendi que, com minha famosa história de sucesso e meu histórico de construir prédios residenciais e de escritório, além de modernizar espaços públicos — ao mesmo tempo acumulando riqueza pessoal —, poderia inspirar as pessoas a ajudar a criar a reviravolta mais profunda da história americana.

Certamente havia incrédulos. Entre jornalistas que vendem jornais ao criar controvérsias e políticos estabelecidos ávidos em preservar o *status quo* que, por sua vez, preserva seus cargos, havia muitos "experts" prevendo meu fracasso. Eles estavam lendo "as pesquisas". Estavam ouvindo todos os lobistas e seus grupos de interesses especiais dizendo: "Trump é uma ameaça ao nosso bem-estar". Estavam inclusive dizendo que eu era um intimidador ou que era preconceituoso, ou que detestava mulheres ou hispânicos. Alguns deles até mesmo disseram — e esse é o pior pecado na política — que eu desejava enquadrar inclusive as pessoas mais ricas da América com todos seus benefícios fiscais.

Provei que todos estavam errados.

TODOS!

De repente, aqueles mesmos jornais e "experts" só falavam das minhas ideias. E, mesmo quando tive de responder a algumas das perguntas mais difíceis e estúpidas de jornalistas supostamente apartidários, as pessoas continuaram a me ouvir e apoiar minhas ideias — e adivinhe? As mulheres aderiram à minha mensagem, pois estão tão cansadas quanto os homens do tão pouco que é realizado em Washington.

De modo semelhante, os hispânicos também subiram a bordo, pois ouviram — de funcionários hispânicos que efetivamente trabalharam para mim e me conhecem como chefe e líder — que Donald Trump constrói empresas.

Donald Trump constrói edifícios.

Donald Trump faz campos de golfe magníficos.

Donald Trump realiza investimentos que geram empregos.

E Donald Trump também gera empregos para imigrantes legais e todos os americanos.

Até os jornalistas mais fastidiosos estão concluindo que Donald Trump é autêntico e que as pessoas estão respondendo a alguém completamente diferente de qualquer outro político.

Ninguém está me pagando para eu dizer essas coisas. Eu pago do meu bolso e não estou contemplando lobistas ou quaisquer grupos de interesses especiais.

Não estou jogando segundo as regras usuais do *status quo*.

Não sou um político que consulta as pesquisas para ver no que devo "acreditar" ou o que devo dizer.

Estou falando como são as coisas e indo ao cerne do que penso que fará a América grande outra vez.

Não sou um diplomata que deseja contentar a todos, mas sim um empresário prático que aprendeu que, quando você acredita em algo, não para nunca, jamais desiste e, se é derrubado, se ergue imediatamente e continua lutando até vencer. Essa tem sido minha estratégia durante toda a minha vida, e tenho sido muito bem-sucedido ao segui-la.

Vencer importa. Ser o melhor importa.

Continuarei lutando por nosso país até ele ser grande outra vez.

Muita gente pensa que o sonho americano morreu, mas podemos trazê-lo de volta maior, melhor e mais forte do que nunca. Mas devemos começar agora.

Precisamos assegurar que a América comece a vencer mais uma vez.

2

★ ★ ★

NOSSA MÍDIA POLÍTICA "IMPARCIAL"

FAZ TEMPO QUE sou o homem que a mídia ama odiar.

Não demorou muito para eu aprender o quanto a mídia política pode ser realmente desonesta. No primeiro debate republicano, a jornalista da Fox Megyn Kelly claramente estava lá para me atacar. E é claro que no segundo debate virtualmente todos me atacaram, pois a maior parte dos números deles nas pesquisas estava afundando, enquanto os meus se elevavam.

Talvez eu seja uma pessoa controversa. Digo o que penso. Não quero esperar para ouvir o que um pesquisador de opinião tem a dizer porque não uso os serviços deles. A mídia adora minha franqueza. Sabem que não vou me esquivar de ou ignorar suas perguntas. Não tenho problema em falar sem rodeios. Os debates presidenciais normalmente atrairiam uns dois milhões de espectadores, mas na primeira noite tivemos 24 milhões de pessoas sintonizadas, e o segundo debate atraiu um número similar. Essas foram as maiores audiências na história da Fox News e da CNN — superiores às das finais da NBA, da World Series e da maioria das transmissões da NFL.

Por que você acha que as pessoas assistiram aos debates? Para ouvir perguntas desagradáveis? Para assistir a um monte de políticos tentando fingir que não são do meio (como eu realmente não sou), de modo que possam ser mais bem-sucedidos?

O fato é que dou às pessoas o que elas necessitam e merecem ouvir — exatamente o que não obtêm dos políticos: a verdade. Nosso país está muito confuso nesse instante, e não temos tempo de fingir o contrário. Não temos tempo para perder sendo politicamente corretos.

Você ouve os políticos e é como se seguissem um roteiro intitulado: "Quão cansativo eu consigo ser?". Assistir às entrevistas com algumas dessas pessoas é praticamente tão excitante como observar a secagem de uma pintura. Elas têm tanto medo de tropeçar em suas próprias palavras, ficam tão apavoradas de dizer algo fora do roteiro e desvirtuar a mensagem — essa é a frase que usam, "desvirtuar a mensagem" —, que ficam verbalmente paralisadas. Farão tudo que possam para evitar responder às perguntas — e a mídia faz o jogo delas.

O propósito desse jogo é aparentar profundidade e ao mesmo tempo ainda parecer um rapaz (ou moça) comum, com quem seria divertido tomar uma cerveja. Os pesquisadores de opinião dizem a elas como ser tudo para todo mundo sem ignorar ninguém. Esses mesmos políticos que prometem audaciosamente enfrentar nossos inimigos nem mesmo dão respostas diretas aos repórteres. Eu não faço esse jogo, pois sou um empresário muito bem-sucedido e minha opinião é que este país precisa sair das profundezas de todos os nossos problemas e dos US$ 19 trilhões que devemos.

No primeiro debate, respondi à pergunta tendenciosa de Megyn Kelly, dizendo o seguinte: "Penso que o maior problema que esse país tem é ser politicamente correto. Tenho sido confrontado por muita gente e francamente não tenho tempo para ser politicamente correto por completo. E, para ser honesto com você, não acho que esse país também tenha tempo. Nosso país está numa grande enrascada. Não vencemos mais. Perdemos para a China. Perdemos para o México tanto no comércio como nas fronteiras. Perdemos para a Rússia, para o Irã e a Arábia Saudita".

Não estou me gabando quando digo que sou um vencedor. Tenho experiência em vencer. Isso é o que chamamos de liderança. Significa que as pessoas me seguirão e serão inspiradas pelo que faço. Como eu sei? Tenho sido um líder a vida inteira. Milhares de meus funcionários sabem que eu dou conta e os ajudarei a dar conta. Às vezes, posso ser discreto, injetar um pouco de humor, me divertir ou brincar. Nos divertimos juntos. O que digo é o que digo, e todos que me conhecem realmente gostam disso.

Com os problemas que enfrentamos, esses debates se tornaram "Trump versus os Outros". Os ataques chegam a mim de todas as direções, pois todos sabem que sou o único falando em realmente mudar este país e tornar a América grande outra vez. Os moderadores leem uma citação minha (ou interpretam erradamente uma citação minha) e depois pedem a uma outra pessoa para comentar. Será que tenho o temperamento correto? Será que dirigiria o país como uma empresa? Quando realmente me tornei republicano? Esses diálogos dão um ótimo programa de televisão. Infelizmente, é quase como assistir a algum evento esportivo.

E adivinhe? Poucas, se é que alguma, dessas perguntas chegam ao cerne do que está errado com nosso país e do que realmente importa para os americanos. É tudo muito pessoal, pois os políticos (e seus camaradas jornalistas) sabem que o público não quer ouvir os detalhes de nossa entrega nuclear ao Irã ou do que faremos sobre toda a sangria da dívida federal que os pagadores de impostos norte-americanos estancam nos dias de hoje. Os diálogos pessoais entre eu e os outros tornam-se a história mais importante do debate e o foco da cobertura do noticiário por semanas. Você gostaria de pensar que a Fox News e a CNN pudessem fazer melhor. Para o registro: acho que Fox e CNN me trataram mal. Ainda assim, você pensaria que uma importante rede de notícias levaria suas responsabilidades mais a sério e utilizaria esses debates para ajudar o público a determinar quem tem o melhor plano para tornar nosso país grande outra vez.

Mas elas perderam a oportunidade.

O formato geral do debate funcionou bem para mim. O povo americano é inteligente e descobriu muito rapidamente quais os reais motivos para intensificar os ataques pessoais contra mim. E obtive mais minutos, mais coberturas de primeira página, mais pedidos de entrevista do que qualquer outro candidato e — o mais importante para o país — a oportunidade de falar diretamente com as pessoas.

Há muitos jornalistas por quem tenho muito respeito, especialmente da mídia financeira. Quando os jornalistas financeiros entrevistam, eles sabem o que estão fazendo e fazem perguntas diretas que podem fornecer informações importantes a seus espectadores. Há dinheiro em jogo, e eles não fazem o mesmo jogo tolo de "pegadinhas" dos jornalistas de política. Eles não podem se dar a esse luxo.

Não me importo de ser atacado e uso a mídia do modo como ela me usa — para atrair atenção. Quando tenho essa atenção, cabe a mim utilizá-la a meu favor. Aprendi há muito tempo que, se você não tem medo de falar abertamente, a mídia escreverá sobre você ou suplicará para você aparecer em seus programas. Se você se comporta um pouco diferentemente ou diz coisas ultrajantes e revida, adoram você. Assim, às vezes faço comentários chocantes e dou o que eles querem — espectadores e leitores — a fim de defender meu ponto de vista. Sou um empresário com uma marca para vender. Quando foi a última vez que você viu um painel dependurado do lado de fora de uma pizzaria com os dizeres: "A quarta melhor pizza do mundo"?! Agora, no entanto, estou usando esses talentos, afiados por anos de sucesso estrondoso, para inspirar pessoas a pensar que nosso país pode melhorar e se tornar poderoso novamente e que podemos dar uma reviravolta na situação.

O custo de um anúncio de página inteira no *New York Times* pode ultrapassar US$ 100 mil. Mas, quando escrevem uma história sobre uma de minhas realizações, não me custa um centavo, e consigo publicidade ainda mais significativa. Tenho um relacionamento de duas vias mutualmente rentável com a mídia — damos o que necessitamos um ao outro. E agora estou usando esse relacionamento para falar sobre o futuro da América.

Muita gente acredita que me dou bem com a imprensa. Talvez isso ocorra às vezes, mas quem acredita que posso usar a mídia está completamente enganado. Ninguém pode usar a imprensa. Ela é grande demais, disseminada demais. No meu caso, foi absolutamente necessário tentar consolidar relacionamentos com os repórteres. Há muitos jornalistas que respeito. Algumas das pessoas mais bacanas que conheço são jornalistas. São honestos, decentes e trabalham arduamente; honram a profissão. Se faço algo errado ou cometo erros, eles relatam com exatidão. Não tenho problema com isso. O que me incomoda é o erro, não o relato.

Mas há muitas vezes também em que acredito que a mídia é abusiva, tanto para pessoas como eu, como para o processo. A palavra-chave é "acuradamente". A exemplo de qualquer outra profissão, tem gente que não é boa. Não há dúvida de que, considerando toda a atenção da imprensa que já tive, tanto boa quanto má, definitivamente conheci gente tanto do topo quanto da extremidade mais inferior da cadeia alimentar. Me refiro ao mais baixo: seres humanos horríveis, desonestos. Tenho visto esses chamados jornalistas mentirem descaradamente. Digo isso pois incompetência não serve para explicar as histórias imprecisas que escrevem. Não há outra explicação.

A imagem que criei por meio da mídia habilitou-me a construir uma das marcas mais luxuosas do mundo. As pessoas compram meus apartamentos, compram minha etiqueta e jogam em meus campos de golfe porque sabem que, se coloco meu nome neles, obrigatoriamente são de qualidade superior. Por que você acha que a NBC me ofereceu meu próprio show, *O aprendiz*? A emissora fez isso porque me diferenciei para ser um alvo, o grande empregador durão. O resultado foi um dos shows mais bem-sucedidos da história da televisão. Sou o único chefe do mundo que eleva o futuro status de uma pessoa despedindo-a.

Às vezes a verdade dói, mas às vezes esse é o único jeito de melhorarmos. E muitos telespectadores me disseram que, ao assistir ao meu programa, aprenderam a ser mais eficientes em seus empregos, de modo que *eles* não fossem demitidos.

Não dou bola para críticas. As pessoas me consideram muito sensível a críticas, mas não é verdade. Tenho uma esposa linda e maravilhosa. Ganhei bilhões de dólares. Meus filhos são executivos extremamente inteligentes e talentosos que trabalham comigo. Tenho uma pilha de enormes projetos potenciais esperando em minha mesa. Não consigo entrar em uma sala ou caminhar pelas ruas sem que as pessoas corram ao meu encontro e digam que estão entusiasmadas por nosso país vencer outra vez. Portanto, as críticas não me incomodam e não conseguem me magoar. Tive poder e tive lucros, mas agora é hora de ajudar as pessoas a terem voz e garantir que sejam ouvidas. Estou fazendo isso para tornar nosso país grande outra vez.

Não faz muito tempo, uma porção de entendidos ficava me perguntando se eu falava sério. Pensei que estavam fazendo a pergunta errada. O que deviam estar me perguntando era se eu falava sério sobre o futuro de nosso país. Nunca fui tão sério sobre nada em minha vida.

Na busca por índices de audiência, todos os programas de TV estão tentando criar notícias. O problema é que não estão fazendo o trabalho deles. Não estão interessados em informar o público. Em vez disso, fazem seu próprio jogo, o das "pegadinhas". Como disse, parte da mídia política é muito desonesta. Não se importa de publicar a verdade, não quer repetir meus comentários na íntegra, nem ser incomodada explicando o que eu quis dizer. Sabem o que eu disse, sabem o que eu quis dizer, mas editam ou interpretam para dar um significado diferente.

Fui lembrado desse comportamento quando anunciei que estava concorrendo à presidência em 16 de junho, em Nova York. Falei extensamente sobre uma porção de diferentes tópicos. Fiz a lista de uma porção de problemas que estávamos enfrentando: imigração ilegal, desemprego, redução do PIB, arsenal nuclear obsoleto e terrorismo islâmico. Discuti todos eles. Em que a mídia focou? Concentraram-se no fato de que eu disse que o México estava enviando suas piores pessoas por nossa fronteira ao sul. "Estão enviando pessoas muito problemáticas", disse eu. "E elas estão trazendo esses problemas para nós."

A próxima coisa que você ouviu foi que Trump disse que todos os imigrantes eram criminosos. Isso não foi absolutamente o que eu disse, mas rendia uma história melhor para a mídia. Proporcionava algumas manchetes. O que eu disse foi que, entre todos os imigrantes ilegais vindos do México, tem gente realmente ruim, alguns são estupradores, uns são traficantes de drogas, alguns estão vindo aqui para viver às custas do sistema, e seria melhor tomarmos medidas imediatas e severas para fecharmos nossas fronteiras aos "ilegais".

As pessoas que me conhecem sabem que jamais eu insultaria hispânicos ou qualquer grupo de pessoas. Faço negócios com hispânicos e morei em Nova York a vida inteira. Sei quão maravilhosa pode ser a cultura latina. Reconheço suas contribuições ao nosso país. Tenho empregado muitos hispânicos dedicados ao longo dos anos. Tenho um respeito muito grande pelo povo hispânico, mas não foi isso que a mídia informou.

Eis o que a mídia reportou: TRUMP CHAMA TODOS OS IMIGRANTES DE CRIMINOSOS E TRUMP CHAMA TODOS OS MEXICANOS DE ESTUPRADORES!

Completamente ridículo.

Um dos problemas que a mídia política tem comigo é que não tenho medo dela. Os outros correm em volta praticamente implorando atenção. Eu não. As pessoas respondem às minhas ideias. Esse tipo de mídia vende mais revistas quando meu rosto está na capa, ou quando atraio uma audiência maior para seus programas televisivos do que normalmente atraem, e bem maior. E o engraçado é que o melhor meio de conseguir atrair essa atenção é me criticando.

Mas o povo americano está começando a entender isso. As pessoas finalmente descobriram que boa parte da mídia política não está tentando dar à população uma justa representação das questões importantes. Em vez disso, está tentando manipular as pessoas — e a eleição — em benefício dos candidatos que deseja ver eleitos. Essas empresas de mídia pertencem a bilionários. São pessoas inteligentes que sabem quais candidatos serão melhores para elas e encontram um jeito de apoiar a pessoa que desejam.

Seria impossível para mim até mesmo estimar quantas vezes fui entrevistado e por quantos repórteres. Não conseguiria dizer nem mesmo o número de capas de revistas que estampei.

Recentemente, fui entrevistado pelo âncora conservador de rádio Hugh Hewitt. "A melhor entrevista da América", disse ele sobre mim. Segue-se o que aconteceu:

Durante o programa, ele começou a me fazer uma série de perguntas sobre um general iraniano e vários líderes terroristas. "Estou procurando o novo comandante supremo para saber quem é Hassan Nasrallah, além de Zawahiri, al-Julani e al-Baghdadi. Você sabe quem são esses que ainda não têm nenhum registro?"

Que pergunta ridícula. Não acho que saber os nomes de cada líder terrorista mais de um ano antes da eleição seja um teste para verificar se alguém é qualificado. Não estamos jogando *Trivial Pursuit*. Cada pergunta que Hugh fazia era similar a essa — embora tenha notado que ele não fez muitas perguntas sobre nossa política econômica ou sobre a reforma do sistema fiscal, coisas que passei a vida estudando. Em vez disso, fez perguntas de "pegadinhas" que não provavam nada a não ser que eu era capaz de ler alguns nomes e pronunciá-los corretamente. Será que alguém acredita que George W. Bush e Barack Obama conseguiriam apontar os nomes dos líderes de todas as organizações terroristas? (Não que eles sejam o padrão!)

As pessoas veem para além dessas bobagens. Temos reais problemas e estou falando sobre como resolvê-los, mas a mídia continua a fazer os mesmos velhos jogos. No final, no entanto, Hugh Hewitt se comportou bem e desde então tem dito algumas coisas ótimas sobre mim.

Cada pergunta era "pegadinha, pegadinha, pegadinha". Dei a Hewitt as melhores respostas possíveis. Aquelas pessoas provavelmente nem mesmo estarão lá daqui a um ano. Eu deveria ter acrescentado que, se a América não fizer as coisas certas, tampouco vamos durar muito.

Deixe-me dizer uma coisa: quando preciso saber algo, eu sei. Quando decidi construir o resort de golfe mais luxuoso do mundo em Aberdeen, Escócia, não sabia os nomes dos dirigentes escoceses que estariam envolvidos nesse projeto, mas, quando começamos os trabalhos, sabia o nome de cada pessoa que era necessário saber. Provavelmente, conheci a maioria delas também. No começo de qualquer tipo de projeto, sei o que é necessário saber — e então recebo as informações para assegurar que o projeto seja feito ao meu contento. E possuo executivos preparados que sabem como — conforme seus títulos sugerem — executar.

Portanto, eu trabalho da seguinte maneira: descubro as pessoas que estão entre as melhores do mundo no que precisa ser feito, então as contrato para fazer isso e *depois deixo que façam...* mas sempre supervisionando.

Temos ótimos líderes militares neste país. Formamos os melhores oficiais e soldados de qualquer parte do globo. Temos também alguns homens e mulheres realmente inteligentes trabalhando em nossas equipes de inteligência. Essas pessoas passam o dia inteiro, todos os dias, resolvendo graves problemas. Esses profissionais são os verdadeiros "experts". Eles conhecem todos os envolvidos.

Uma das razões por que tenho sido bem-sucedido nos negócios é que emprego as melhores pessoas. Pago bem e as conservo trabalhando para mim. Há ocasiões em que encontro uma pessoa trabalhando no outro lado do negócio. Talvez não me superem, mas criam muitas dificuldades para mim. Respeito isso. De fato, respeito tanto que às vezes contrato-as da empresa para a qual estavam negociando.

Para ser sincero, no entanto, realmente não culpo Hugh Hewitt por ter feito o que fez. A exemplo de Megyn Kelly, ele concluiu que a melhor forma de chamar atenção era atacar Donald Trump. Esse cara conseguiu mais manchetes com nossa curta entrevista do que provavelmente obteve em toda a sua carreira. Não era com os nomes dos líderes terroristas que ele se preocupava — era com o seu próprio nome. E aquilo deu certo para ele.

É exatamente o mesmo velho jogo, em que as pessoas vêm em último lugar. Isso precisa mudar também.

Implorar atenção realmente resume o problema que enfrentamos neste país com a nossa mídia. Há uma competição tão acirrada que estão mais interessados em entreter o público do que em educá-lo. Eles gostam de mim, pois ajudo a atrair mais espectadores. Me odeiam porque sabem que não necessito deles. Aprendi há muito tempo como falar diretamente às pessoas que importam — aos americanos comuns que estão fartos dos políticos profissionais.

Provavelmente vocês são esses — os verdadeiros americanos — para quem escrevi este livro.

3

★ ★ ★

IMIGRAÇÃO: BONS MUROS FAZEM BONS VIZINHOS

QUANDO ANUNCIEI MINHA candidatura, discursei por quase uma hora, cobrindo praticamente todos os desafios que estamos enfrentando. Mas o tópico que atraiu a maior atenção foi meu foco em nossa política de imigração. Ou, na realidade, nossa falta de uma política coerente de imigração. Fui bastante duro sobre os imigrantes ilegais, e muita gente não gostou disso. Eu disse que vários países estão despejando suas piores pessoas em nossas fronteiras e que isso tem de parar. Um país que não controla suas fronteiras não consegue sobreviver — especialmente com o que está ocorrendo neste momento.

O que eu disse é simplesmente senso comum. Falei com os patrulheiros da fronteira, e eles informaram quem estamos deixando passar pelas fronteiras. Os países localizados ao nosso sul não estão enviando seus melhores cidadãos. As más pessoas vêm de outros lugares além do México. Vêm de toda a América Central e do Sul e provavelmente — provavelmente — do Oriente Médio. Deixe-me acrescentar agora: permitir dezenas de milhares de refugiados sírios em nossa porta certamente trará uma porção de problemas. Mas não sabemos a intensidade, pois não temos proteção e nem competência.

Não sabemos o que está acontecendo. Isso tem de parar, e tem de parar logo.

Posteriormente, em meu discurso, acrescentei: "Eu construiria um grande muro, e ninguém constrói muros melhor do que eu, acreditem, e o construirei a um custo muito baixo. Construirei um grande muro em nossa fronteira sul. E obrigarei o México a pagar por esse muro. Guardem minhas palavras". Falei bastante naquele dia. Cobri praticamente todos os problemas que nosso país está enfrentando. Mas o que a mídia reportou sobre essa fala? "Trump é contra a imigração." "Trump chama os mexicanos de estupradores." "Trump está começando uma guerra com o México." Quer saber por que não estamos resolvendo nossos problemas? Por que não há mudanças? Porque não estamos enfrentando os problemas, nem agindo.

O fluxo de imigrantes ilegais para esse país é um dos mais graves problemas que enfrentamos. Isso está nos matando. Mas até eu defender essa opinião durante minha fala, ninguém discutia isso honestamente. E, ao invés de dizer, "Trump está correto e seria melhor fazermos algo para parar a imigração ilegal imediatamente ou perderemos nosso país", disseram: "Oh, que coisa horrível Trump disse sobre as pessoas bacanas que vivem ao sul de nossas fronteiras. Esperamos que não fiquem aborrecidas conosco por causa disso. Talvez ele se desculpe". Entendo por que isso ocorreu. É muito mais fácil me criticar por ser curto e grosso do que efetivamente admitir que a situação da imigração é um problema perigoso e então encontrar um meio de lidar com isso.

Deixe-me afirmar claramente: *não sou contra a imigração.*

Minha mãe emigrou da Escócia para este país em 1918 e casou com meu pai, cujos pais tinham vindo para cá da Alemanha em 1885. Meus pais foram dois dos melhores seres humanos que conheci, e há milhões de pessoas como eles que fizeram deste país um lugar tão maravilhoso e de tanto sucesso.

Eu adoro a imigração.

Os imigrantes chegam a este país, desejam trabalhar arduamente, ser bem-sucedidos, criar seus filhos e compartilhar o sonho americano. É uma linda história. Posso fechar os olhos e simplesmente imaginar o que meus parentes devem ter pensando ao passar pela Estátua da Liberdade na direção de Nova York e de sua nova vida. E se eles apenas pudessem ver os resultados de seus riscos e sacrifícios! Como pode alguém não apreciar a coragem que levou essas pessoas a abandonar suas famílias e chegar aqui?

O que não gosto é do conceito de imigração ilegal.

Não é justo para ninguém, inclusive aqueles que esperam na fila durante anos para entrar em nosso país legalmente. E o fluxo de imigrantes ilegais que atravessam nossas fronteiras tornou-se um problema perigoso. Não protegemos nossas fronteiras. Não sabemos quem está aqui, mas aposto que, seja de onde tenham vindo, lá eles sabem que essas pessoas saíram. No entanto, esses governos não fazem nada para ajudar-nos. A estimativa é que existam 11 milhões de imigrantes ilegais na América, mas o fato é que ninguém realmente sabe o número exato. Não temos nenhum meio de rastreá-los.

O que efetivamente sabemos é que alguns desses imigrantes são uma fonte real de crimes. Em 2011, o *Government Accountability* Office informou que havia três milhões de prisões que poderiam ser atribuídas à população estrangeira, incluindo dezenas de milhares de criminosos violentos. Havia 351 mil criminosos estrangeiros ilegais em nossas prisões — esse número não inclui o delito de passar por nossas fronteiras. O custo de manutenção dessas pessoas na prisão é superior a um bilhão de dólares ao ano.

Entendo que a ampla maioria é gente honesta, decente, batalhadora, que veio para cá para melhorar sua vida e de seus filhos. A América oferece tantas promessas, que pessoa honesta não desejaria vir para cá para tentar construir uma vida melhor para si e seus filhos? Mas a imigração ilegal é um problema que deve ser confrontado pelo governo dos Estados Unidos, que, por sua vez, deve confrontar outros países.

Sinto tanto por esses indivíduos como qualquer outra pessoa. As condições em alguns desses países são deploráveis.

Não obstante, a imigração ilegal tem de parar. Um país que não consegue proteger suas fronteiras não é um país. Somos o único país do mundo cujo sistema de imigração coloca as necessidades de outras nações acima de nossas próprias necessidades.

Há uma palavra que descreve as pessoas que fazem isso: tolas.

Tenho um grande respeito pelo povo do México. Essas pessoas têm um espírito tremendo. Estive envolvido em negócios com empresários mexicanos. Mas esses executivos não são as pessoas que o governo mexicano está enviando para cá. Muita gente esqueceu do êxodo de Mariel. Em 1980, Fidel Castro disse ao povo cubano que qualquer um que quisesse deixar Cuba estava livre para fazê-lo. O presidente Carter abriu nossas fronteiras para qualquer um que chegasse aqui. Só que Castro foi mais inteligente. Esvaziou as prisões e os manicômios cubanos e despachou seus maiores problemas para cá. Livrou-se das piores pessoas daquele país, e sobrou para nós lidar com delas. Mais de 125 mil cubanos vieram para cá, e, apesar de haver muita, muita gente maravilhosa, alguns eram criminosos ou tinham problemas mentais. Mais de 30 anos depois, ainda estamos lidando com isso.

Será que alguém realmente acredita que o governo mexicano — na verdade, todos os governos da América Central e do Sul — não entenderam essa mensagem? O governo mexicano tem publicado panfletos explicando como emigrar ilegalmente para os Estados Unidos. E isso vai ao encontro de meu ponto de vista — não se trata de algumas pessoas que buscam uma vida melhor, e sim de governos estrangeiros se comportando mal e de nossos próprios políticos de carreira e "líderes" não desempenhando bem suas funções.

E quem pode culpar esses governos estrangeiros? É uma ótima oportunidade para se livrarem de suas piores pessoas sem pagar qualquer preço por seus comportamentos inapropriados. Em vez de colocar essas pessoas na prisão, enviam-nas para cá. E esses caras maus estão trazendo o comércio de drogas e outras atividades criminosas. Alguns são estupradores e, de fato, conforme estamos vendo agora em San Francisco, alguns são assassinos. O homem que atirou e matou uma bonita jovem tinha sido expulso do México em cinco ocasiões. Ele deveria estar numa cadeia lá, mas em vez disso enviaram-no para cá.

O preço que estamos pagando pela imigração ilegal é enorme.

Isso tem de parar.

A primeira coisa que devemos fazer é proteger nossa fronteira meridional — e isso deve ser feito imediatamente. Devemos parar esse fluxo, e o melhor meio de fazer isso é construir um muro. As pessoas dizem que isso não pode ser feito — como construir um muro ao longo de toda a fronteira?

Acreditem em mim, dá para fazer.

Ninguém consegue construir um muro como eu. Construirei um grande muro ao longo de nossa fronteira meridional. Não é necessário que ele cubra toda a fronteira. Algumas áreas já são protegidas com barreiras naturais. Em outras áreas o terreno é difícil demais para ser atravessado por pessoas. Provavelmente, precisaremos proteger cerca de 1,6 mil quilômetros com o novo muro.

Tem gente que diz que isso não pode ser feito, que é impossível construir um muro de 1,6 mil quilômetros de extensão. Só que, começando há mais de 2 mil anos, os chineses construíram uma muralha que no final se estendeu por mais de 22 mil quilômetros e que jamais poderia ser violada. Era uma combinação de muros maciços, trincheiras e fossos intransponíveis e terreno natural acidentado, bem como um número estimado de 25 mil torres de vigia. Acredite em mim, nossa tecnologia de construção de muros melhorou muito em 2 mil anos. O que nos falta e que os chineses tinham é o comprometimento de fazer o muro. Eles entenderam o perigo de deixar a fronteira desprotegida e fizeram algo a respeito. Nós falamos e não fazemos nada.

Muros funcionam. Os israelenses gastaram US$ 2 milhões por quilômetro para a construção de um muro — que tem tido enorme sucesso em impedir terroristas de entrar no país. Ironicamente, algumas das mesmas pessoas que alegam que não devemos construir esse muro mencionam o sucesso do muro de Israel. Embora, obviamente, não enfrentemos o mesmo nível de ameaça terrorista que nosso aliado mais próximo do Oriente Médio, não há dúvida do valor de um muro na luta contra o terrorismo.

Muita gente não sabe que até o México construiu seu próprio muro em sua fronteira meridional — para manter de fora os imigrantes ilegais.

Nem mesmo seria algo tão difícil. Já temos um modelo: Yuma, no Arizona, por exemplo, construiu três muros separados por um terreno desocupado de 70 metros que permite aos agentes da fronteira patrulhar o interior dessa área com seus veículos. Foram instaladas câmeras, comunicação por rádio, radar e um ótimo sistema de iluminação. Após a construção, a faixa de 193 quilômetros, conhecida por setor Yuma, viu uma diminuição incrível de 72% no número de pessoas apreendidas tentando entrar ilegalmente no país — e o meu será muito melhor.

A construção do muro precisa começar o mais rápido possível. E o México tem de pagar por ele.

Deixe-me repetir isso, de uma forma ou de outra: o México pagará pelo muro.

Como? Poderíamos aumentar as várias tarifas alfandegárias que cobramos. Poderíamos aumentar as tarifas dos vistos temporários. Poderíamos até mesmo confiscar remessas derivadas de salários ilegais. Os governos estrangeiros poderiam mandar suas embaixadas começar a ajudar, senão correriam o risco de ter relações problemáticas com o nosso país.

Se necessário, poderíamos pagar pelo muro por meio de uma tarifa, ou cortar a ajuda financeira ao México, ou simplesmente deixar claro ao governo mexicano que é do interesse de seu relacionamento muito rentável com os Estados Unidos pagar pelo muro.

No entanto, de uma forma ou de outra, eles vão pagar.

Não me importo de colocar um belo e grande portão no muro para permitir a entrada e saída de pessoas... LEGALMENTE.

O muro será um bom começo, mas sozinho não será suficiente. Sem o muro, no entanto, todas as outras coisas são mais da mesma velha conversa que escutamos dos políticos.

Estamos tentando colocar esse problema sob controle há mais de 75 anos. Tentamos um monte de diferentes soluções, e o resultado é que atualmente a imigração ilegal está pior que nunca. Uma das soluções que se mostrou promissora foi a tentativa do presidente Eisenhower de lidar com a imigração ilegal em nossa fronteira meridional, que se tornou conhecida pelo nome realmente horrível de Operação Costas Molhadas (Operation Wetback). Mas, mesmo com esse nome pavoroso, o programa foi um sucesso. Houve um esforço conjunto entre o INS (Serviço de Imigração e Naturalização) e o governo mexicano. Foram criadas equipes especiais de imigração para processar e deportar imigrantes ilegais rapidamente. Uma das razões para ter funcionado é que as pessoas apanhadas eram entregues a agentes do governo mexicano, que as transferiam para a região central do México, onde conseguiam encontrar empregos. No primeiro ano, mais de um milhão de pessoas foram deportadas.

O que precisamos é do programa abrangente que descrevi, que nos possibilitará colocar nosso sistema de imigração sob controle. Começa pela aplicação das leis existentes. Um país tem leis ou não tem. Mas ter leis que não fazemos cumprir não faz nenhum sentido para mim. E, além de evitar que gente ruim entre em nosso país, mandar os criminosos embora. Quando você transgride nossas leis, despachamos você embora. Simples assim. Por que devemos absorver a despesa de manter criminosos em prisões? Deixem seus países de origem lidar com os problemas que nos enviaram. Caso se recusem a aceitá-los de volta, podemos parar de emitir vistos para esses países, impedindo seus cidadãos de visitar os Estados Unidos legalmente.

Eu ainda triplicaria o número de agentes da imigração que atualmente empregamos até o muro ser construído. Estamos pedindo a essas pessoas para executar uma função que seria difícil ainda que tivessem todo o suporte necessário, e elas não têm. Pense o seguinte: atualmente, temos cerca de 5 mil agentes tentando aplicar as leis de imigração contra os mais de 11 milhões de estrangeiros ilegais. Compare esse número com os 10 mil membros do Departamento de Polícia de Los Angeles ou os 35 mil funcionários do Departamento de Polícia de Nova York. Desde o 11 de setembro, triplicamos o tamanho da patrulha das fronteiras, mas não aumentamos substancialmente o número de agentes do ICE (Departamento de Imigração e Alfândega) — aqueles que fazem cumprir as leis de imigração.

Os políticos de carreira adoram falar sobre um "sistema eletrônico de controle" cobrindo todo o país, de modo que potenciais empregadores sejam capazes de determinar quem está aqui legalmente e elegível para trabalhar e quem não está. Com certeza isso ajudará a proteger as vagas para os americanos desempregados. Mas não sejamos tolos. Nossos "líderes" devem atuar e se engajar com governos estrangeiros para deter a imigração ilegal, e não simplesmente impor medidas a nossas empresas e pensar que um sistema de verificação pela internet por si só resolverá o problema.

Temos de cortar os benefícios federais a cidades santuárias — aquelas localidades que se recusam a cooperar com a aplicação de leis federais e efetivamente favorecem condutas criminosas —, temos de acabar com isso. Repito, ou somos uma nação de leis ou não somos.

Também precisamos fazer o que for necessário para obrigar o cumprimento de nossas regulações de vistos. As pessoas conseguem um visto e entram no país legalmente; quando o visto expira, muitas continuam aqui ilegalmente. Se são apanhadas, nada acontece com elas.

Isso tem de mudar. Precisamos ter penalidades reais para pessoas que ultrapassem o prazo permitido de seus vistos. Estou farto de ouvir políticos que falam muito e não agem. O presidente Obama e sua equipe são ótimos para enviar cartas e boletins para a imprensa, mas aparentemente isso não tem nenhuma consequência para governos estrangeiros que não lhes dão ouvidos.

O mais importante é encerrar ou reduzir as chamadas cidadanias inatas, ou os bebês-âncora. A cidadania americana é um dom extraordinário. Seu valor durante uma vida é imensurável. Assim, o fato de a 14ª Emenda ter sido interpretada como significando que qualquer criança nascida nos Estados Unidos automaticamente é cidadã americana — e que esse bebê pode ser usado como uma âncora para manter sua família aqui — é o maior ímã para atrair imigrantes ilegais.

Jamais se pretendeu que a 14ª Emenda fosse utilizada dessa forma. O objetivo original da 14ª Emenda, ratificada em 1868, após a Guerra Civil, era garantir aos escravos libertos todos os direitos concedidos aos cidadãos na Constituição. Nenhum historiador sério poderia interpretar qualquer uma das falas de apoio nos Anais do Congresso como se a cidadania inata fosse destinada a outros que não os escravos libertos.

Só em 1898 a Suprema Corte estabeleceu que, dentro de certas condições específicas, as cláusulas da 14ª Emenda concediam cidadania aos filhos de imigrantes legalizados nascidos em solo americano. Por uma margem enorme, os americanos querem mudar essa diretriz. Até o democrata Harry Reid admitiu que "nenhum país consciente" garantiria cidadania a filhos de imigrantes ilegais. Estima-se que cerca de 300 mil dessas crianças nasçam aqui a cada ano. Ou seja, 300 mil crianças ganham todos os direitos e privilégios concedidos a cidadãos americanos porque suas mães entram neste país ilegalmente, cruzando a fronteira meridional caminhando por um dia ou vindo de avião de outro país com documentação fraudulenta. Há empresas especializadas em fazer isso! Chamam de "turismo de maternidade" — mulheres estrangeiras grávidas viajam a este país com a única finalidade de dar à luz aqui, de modo que o bebê automaticamente torne-se cidadão americano.

A cidadania não é um presente que podemos nos dar ao luxo de continuar distribuindo, e descobrirei um meio legal de deter essa política. Inúmeros advogados e pessoas muito inteligentes acreditam que a 14ª Emenda jamais pretendeu criar um novo caminho para a cidadania. Testaremos de todas as formas possíveis. Venceremos nos tribunais e no Congresso.

Não quero deter a imigração legal para este país. De fato, gostaria de reformar e aumentar a imigração em alguns aspectos importantes. Nossas leis atuais para imigração estão de ponta-cabeça — dificultam para as pessoas que precisamos ter aqui e facilitam para quem não queremos aqui.

Este país é um ímã para muitas das pessoas mais inteligentes e trabalhadoras nascidas em outros países; todavia, dificultamos que essas pessoas brilhantes que seguem as leis se estabeleçam aqui.

É surpreendente que pessoas que vêm aqui para fazer mestrado e demonstram aptidões maravilhosas sejam forçadas a esperar numa longa fila quando desejam permanecer e contribuir com este país. Na realidade, uma porção delas jamais será chamada. Jovens brilhantes vêm para cá de todas as partes do mundo para estudar em nossas faculdades. Recebem o melhor ensino do mundo. Formam-se com honras, e lhes damos um diploma e uma passagem aérea. O erro é que são pessoas honestas — cumprem a lei. Desejam permanecer aqui, mas os mandamos de volta a seus países, e no fim usam o conhecimento que adquiriram aqui para competir conosco.

No entanto, se você é um criminoso, um operário não especializado, ou alguém escapando de indiciamento criminal em outro país, será capaz de se esgueirar para dentro de nosso país e, em muitos casos, conseguir alguns benefícios e jamais ir embora. Essas políticas de "fiscalização" e essa abordagem retrógrada de imigração têm de mudar.

Nossa política de imigração precisa funcionar para tornar a América grande outra vez.

Minha política de imigração na realidade é muito simples. Precisamos mudar nossas leis para facilitar que as pessoas que podem colaborar com este país entrem aqui legalmente, ao mesmo tempo impossibilitando que indivíduos criminosos e outras pessoas cheguem ilegalmente. Quero que boas pessoas venham para cá de todas as partes do mundo, mas que sigam os procedimentos legais. Podemos acelerar o processo, recompensar as realizações e a excelência, mas temos de respeitar o processo legal. E aqueles que se aproveitam do sistema e entram aqui ilegalmente jamais devem desfrutar os benefícios de ser um residente — ou cidadão — dessa nação. Assim, sou contrário a qualquer via para a obtenção de cidadania por trabalhadores não documentados ou qualquer outro que esteja no país ilegalmente.

Eles devem — e precisam — voltar para seus países e entrar na fila.

E você sabe quem concorda comigo? Os mexicanos, chineses e todas as pessoas de outros países que querem ficar aqui legalmente e não conseguem obter um visto ou se encaixar numa cota e, no entanto, veem milhões de pessoas vivendo aqui ilegalmente. Elas não entendem como podemos solapar nossos próprios interesses.

Se você tem leis que não faz cumprir, então não tem leis. Isso leva à ilegalidade.

Podemos ser generosos e fazer tudo isso de forma humana. Mas a segurança e prosperidade dos cidadãos americanos têm que vir em primeiro lugar.

Nosso país, nosso povo e nossas leis têm de ser nossa prioridade absoluta.

4

★ ★ ★

POLÍTICA EXTERNA: LUTANDO PELA PAZ

OS DIPLOMATAS DE CARREIRA que nos meteram em muitas confusões de política externa dizem que não tenho experiência nessa área. Pensam que diplomacia bem-sucedida exige anos de experiência e entendimento de todas as nuances que têm de ser cuidadosamente consideradas antes de chegar a uma conclusão. Só então esses burocratas engravatados *consideram* agir.

Veja a situação mundial neste exato momento. Está uma bagunça terrível, para usarmos termos amenos.

Jamais houve uma época mais perigosa. Os chamados *insiders* das classes dominantes de Washington são as pessoas que nos meteram nesse problema. Então por que devemos continuar a prestar atenção neles?

Alguns dos supostos "experts" estão tentando assustar as pessoas dizendo que minha abordagem tornaria o mundo mais perigoso.

Mais perigoso? Mais perigoso em relação a *quê*? Mais perigoso do que agora?

Eis aqui o que sei — o que estamos fazendo não está dando certo. E anos atrás, quando eu estava apenas começando nos negócios, descobri um método muito simples que sempre funcionou bem para mim:

Quando você está cavando um buraco cada vez mais fundo para si mesmo, pare de cavar.

Minha abordagem para a política externa baseia-se num sólido alicerce: operar a partir da força. Isso significa que devemos manter a força militar mais poderosa do mundo, de longe. Precisamos demonstrar disposição de utilizar nosso poderio econômico para recompensar os países que trabalham conosco e punir aqueles que não. Isso significa ir atrás dos bancos e instituições financeiras que lavam dinheiro para nossos inimigos e depois fazem-no circular para facilitar o terrorismo. E temos de criar alianças com nossos aliados que revelem benefícios mútuos.

Se vamos continuar a policiar o mundo, devemos ser pagos por isso.

Teddy Roosevelt sempre acreditou que devemos "falar suavemente e carregar um grande porrete". Jamais tive medo de me expressar abertamente para proteger meus interesses e sinceramente não entendo por que não falamos mais alto sobre como estamos perdendo pelo mundo. Se não falarmos abertamente, como é que alguma coisa vai melhorar? Como iremos vencer um dia?

A América é o país mais poderoso do mundo e não devemos ter receio de dizer isso. Mike Tyson, o "homem de ferro", o lutador famoso, uma vez explicou sua filosofia, dizendo: "Todo mundo tem um plano até levar um soco na boca".

A primeira coisa que precisamos fazer é consolidar nossa capacidade de dar esse soco. Precisamos gastar o que for necessário para financiar completa e apropriadamente nossas forças armadas. Há 15 anos, escrevi: "Não podemos buscar forças armadas e objetivos de política externa avançados com um orçamento militar retrógrado".

A melhor maneira de *não* termos de usar nosso poderio militar é assegurar que ele seja visível.

Quando as pessoas souberem que, se necessário, utilizaremos a força e que realmente pretendemos fazê-lo, seremos tratados de forma diferente.

Com respeito.

Neste momento, ninguém acredita em nós, pois temos sido muito fracos em nossa abordagem política militar no Oriente Médio e outras regiões.

Consolidar nossas forças armadas é barato quando consideramos as alternativas. Estamos comprando paz e encerrando-a em nossa segurança nacional. Neste exato momento, estamos em má forma militar. O tamanho de nossas forças foi diminuído e não estamos dando a elas os melhores equipamentos. O recrutamento das melhores pessoas também despencou, e não conseguimos treinar o pessoal que temos no nível necessário. Há uma porção de questões sobre o estado de nossas armas nucleares. Quando leio relatórios do que está ocorrendo, fico chocado.

Não é de espantar que ninguém nos respeite. Não é surpresa que jamais vençamos.

Gastar dinheiro em nossas forças armadas é também um negócio inteligente. Quem as pessoas pensam que constroem nossos aviões, navios e todos os equipamentos necessários para nossas tropas? Os trabalhadores americanos. Assim, consolidar nossas forças armadas também faz sentido do ponto de vista econômico, pois nos permite colocar dinheiro de verdade no sistema e recolocar milhares de pessoas no trabalho.

Há um outro meio de pagar para modernizarmos nossas forças armadas. Se outros países dependem de nós para proteção, não deveriam estar dispostos a assegurar que tenhamos competência para fazer isso? Não deveriam estar dispostos a pagar pelos militares e equipamentos que fornecemos?

Dependendo do preço do petróleo, a Arábia Saudita ganha algo entre meio bilhão e um bilhão de dólares todos os dias. O país não existiria, que dirá ter aquela riqueza, sem nossa proteção. Não ganhamos nada deles. Nada.

Defendemos a Alemanha. Defendemos o Japão. Defendemos a Coreia do Sul. São países poderosos e ricos. Não ganhamos nada deles.

Está na hora de mudar tudo isso. É hora de vencer novamente.

Temos 28.500 excelentes soldados americanos na fronteira da Coreia do Sul com a Coreia do Norte. Eles correm perigo todos os dias. São a única coisa que protege a Coreia do Sul. E o que ganhamos da Coreia do Sul por isso? Eles nos vendem produtos — com um belo lucro. Competem conosco.

Gastamos dois trilhões de dólares fazendo seja lá o que fizemos no Iraque. Ainda não sei por que fizemos, mas fizemos. O Iraque está situado em cima de um oceano de petróleo. É irracional sugerir que devam contribuir para o seu próprio futuro? E, depois do sangue e do dinheiro que gastamos tentando dar um ar de estabilidade ao povo iraquiano, talvez eles estejam dispostos a garantir que possamos reconstruir o exército que combateu por eles.

Quando o Kuwait foi atacado por Saddam Hussein, todos os kuwaitianos ricos correram para Paris. Não alugaram apenas suítes — dedicaram-se a construir edifícios e hotéis inteiros. Viviam como reis enquanto seu país estava ocupado.

A quem recorreram em busca de ajuda? Quem mais? Ao Tio Otário. Somos nós.

Gastamos bilhões de dólares enviando nosso exército para reconquistar o Kuwait. Nosso pessoal foi morto e ferido, mas os iraquianos voltaram para seu país.

Cerca de dois meses após a guerra, diversos kuwaitianos apareceram em meu escritório para discutir um contrato que eu queria fazer com eles. Acredite em mim, eles não teriam perdido dinheiro no negócio. Eles disseram: "Não, não, não, não gostamos dos Estados Unidos para fins de investimento. Temos grande respeito por você, mas queremos investir fora dos Estados Unidos".

Nós havíamos acabado de devolver o país deles!

Eles estavam vendo televisão nos melhores quartos de hotel em Paris enquanto nossos rapazes lutavam por eles. E não queriam investir neste país?

Como podemos ser tão estúpidos?!

Por que os Estados Unidos não firmaram um acordo que delineasse como eles pagariam por retomarmos o país para eles? Eles teriam pago qualquer coisa se simplesmente fossem solicitados.

O ponto é: estamos gastando trilhões de dólares para salvaguardar outros países. Estamos pagando pelo privilégio de lutar as batalhas deles. Isso não faz sentido para mim.

Realmente está na hora do resto do mundo pagar sua justa parcela, e, se eu tiver algo a dizer sobre isso, eles pagarão!

★

A grande pergunta que as pessoas fazem sobre política externa é em que momento devemos intervir com tropas terrestres? Não podemos ter medo de usar nossas forças armadas, mas enviar nossos filhos e filhas deve ser o último recurso. Eu vi o que as guerras fazem aos nossos filhos. Vi seus corpos feridos, sei tudo sobre os horrores que povoam suas mentes e os enormes efeitos do trauma. Não podemos mandar tropas americanas para lutar sem um objetivo real e tangível.

Minhas regras de envolvimento sempre foram bem simples — se vamos intervir em um conflito, que seja em uma ameaça direta aos nossos interesses nacionais. A ameaça deve ser tão óbvia que a maioria dos americanos saberá onde fica a zona mais quente do globo e entenderá rapidamente a razão de estarmos nos envolvendo. Além disso, que tenhamos um plano invulnerável para vencer e sair.

Em outras palavras, minha estratégia seria exatamente oposta à utilizada na guerra do Iraque.

O Iraque não era uma ameaça para nós. O povo americano não tinha ideia alguma de por que a administração Bush decidiu atacar.

Nossos brilhantes estrategistas tiveram de distorcer os relatórios de nossa inteligência e inventar motivos para uma invasão. Enfocamos o alegado arsenal de armas de destruição em massa de Saddam Hussein como justificativa. Não havia plano (ou talvez um muito falho) para vencer e vir embora. Antes da guerra começar, me posicionei de forma muito contundente contra ela. Não fazia sentido para mim. Na época, eu disse que seria um desastre e desestabilizaria o Oriente Médio. Falei também que, sem o Iraque para contê-lo, o Irã tentaria assumir o controle do Oriente Médio.

E foi exatamente o que aconteceu.

Existem alguns lugares no mundo onde é necessária uma força gigantesca. A ameaça do Estado Islâmico é real. Trata-se de um novo tipo de inimigo, e ele tem de ser parado. Quanto mais esperarmos antes de agir, mais perigoso ele se tornará. Não precisamos de outro 11 de setembro para entender que essas pessoas querem nos matar e não estamos fazendo o suficiente para impedi-las de espalhar sua marca perversa de terrorismo. As manchetes e vídeos nos informam com o que estamos lidando: estupros, raptos e enfileiramento de civis para degola. Há também fortes evidências de que o Estado Islâmico está recorrendo a artefatos de guerra químicos.

Está na hora de uma reação séria. Ou lutaremos para vencer, ou continuaremos a ser os grandes perdedores.

Infelizmente, talvez seja preciso mandar tropas para combater o Estado Islâmico. Não acredito que seja necessário divulgar nossa estratégia. (De fato, uma das mancadas mais ridículas cometidas pelo presidente Obama foi anunciar nossa programação para a retirada das tropas do Iraque e do Afeganistão.) Se conselheiros militares recomendarem, devemos enviar um número limitado — mas suficiente — de tropas para lutar em solo. Poderíamos também expandir facilmente as operações aéreas para impossibilitar que o Estado Islâmico encontrasse um abrigo seguro em qualquer ponto da região. Nossa política de tentarmos ser "conselheiros" em campo com certeza foi um fracasso.

No entanto, tenho uma perspectiva singular sobre qual ação devemos tomar. Embora o Estado Islâmico seja nosso inimigo mais violento, ele ficou com o petróleo do Iraque e da Síria, de que devíamos ter nos apossado. Esse petróleo, juntamente com a extorsão e os resgates, está financiando o exército deles. Defendo um bombardeio infernal desses campos petrolíferos para cortar a fonte de dinheiro. Isso mal afetaria o abastecimento mundial de petróleo, mas reduziria drasticamente a capacidade deles de financiar o terrorismo.

Temos de nos apossar desse petróleo, pois é a fonte da riqueza deles. Nós os atingiríamos com tanta força, tanta rapidez e de tantas maneiras que nem saberiam o que aconteceu. E depois atacaríamos muitas e muitas vezes até o Estado Islâmico deixar de existir como ameaça para qualquer um.

Não temos escolha. Essas pessoas são bárbaros medievais. Decepam cabeças, afogam e torturam, e não podemos permitir jamais que consigam uma base segura em qualquer lugar.

O número de tropas do Estado Islâmico é relativamente pequeno. Nossa comunidade de inteligência estima que não passam de 30 mil a 50 mil combatentes. As pessoas geralmente ficam surpresas com esse número. O Estado Islâmico fez um trabalho tão bom promovendo o medo que as pessoas presumem que seja uma força muito maior. Não é. A força total do Estado Islâmico provavelmente nem lotaria o Yankee Stadium. Assim, derrotá-lo exige um comprometimento real de atacar incansavelmente onde quer que esteja, sem parar, até que todos estejam mortos — e sempre angariando ajuda de outros países.

O Irã é um problema muito mais complexo.

Não tenho medo de criticar o presidente Obama quando ele entende algo errado. Quando estava concorrendo à presidência em 2008, ele disse corretamente: "O Irã é uma grave ameaça. Tem um programa nuclear ilícito, apoia o terrorismo na região e milícias no Iraque, ameaça a existência de Israel e nega o Holocausto".

Então por que, quando o Irã enfrentava problemas financeiros, Obama concordou com um acordo nuclear que libera ativos de bilhões de dólares que vão subsidiar suas atividades terroristas? Isso não faz sentido.

O Irã era uma nação poderosa até fanáticos religiosos assumirem o comando. Enquanto essas pessoas permanecerem no poder, o Irã será nosso inimigo e uma ameaça à existência de Israel. Seu líder supremo, o aiatolá Khamenei, prometeu que Israel não existirá em 25 anos. Temos de levar essa ameaça a sério e agir de acordo.

Sempre adorei e admirei o povo judeu e apoiei a relação especial que temos com Israel. O próximo presidente tem de restaurar nossa parceria tradicionalmente forte. Estivemos e continuaremos ao lado de Israel, pois é a única democracia estável naquela região. Tornou-se um parceiro leal nos negócios e pioneiro no campo da medicina, comunicações, tecnologia e desenvolvimento energético, o que beneficiará ambas as nações no futuro.

Os quilômetros que hoje nos separam do Irã são apenas uma barreira temporária para eles. Se ou quando desenvolverem mísseis que possam atingir este país, irão se tornar uma ameaça muito maior. Enquanto isso, estão dando apoio financeiro a grupos terroristas por todo o mundo e são uma ameaça real a nosso país e nossos militares que servem no exterior. Nossos inimigos não mais precisam de exércitos enormes ou de sistemas de lançamento de mísseis bilionários para atacar esse país. A tecnologia possibilitou que um ou dois terroristas inflijam um terrível dano a nós. Temos de impedir que o Irã patrocine esses assassinos.

Mas em vez disso continuamos a perder.

O acordo que o presidente Obama negociou com o Irã foi o pior que já vi. Não poderíamos fazer pior.

O Irã estava encaixotado, e as sanções estavam causando danos. O presidente Obama arriscou seu "legado", e, antes de abrirmos as negociações, os mulás sabiam que ele teria de fazer um acordo ou acabaria parecendo ainda mais incompetente, de modo que o extorquiram.

Vergonhoso.

Fizemos tudo errado nessas negociações. Em vez de retirar as sanções que forçavam os iranianos a negociar, deveríamos ter duplicado ou triplicado.

Lembre-se da principal estratégia da negociação: *o lado que mais precisa do acordo é o que deve sair com o mínimo.*

Eu teria aumentado as sanções até as condições ficarem tão terríveis que os líderes iranianos começassem a suplicar por um acordo.

Teria definido certas condições que deveriam ser acordadas, a começar pela libertação de nossos quatro prisioneiros.

Não teria aceitado menos do que um completo desmantelamento de todas as instalações nucleares, destruição de todas as centrífugas e inspeções locais a qualquer hora, em qualquer lugar.

Não conseguimos nada disso — nada — e então liberamos bilhões de dólares que tinham sido congelados.

Literalmente pagamos para eles nos forçarem a aceitar um acordo horrível. Seria como eu começar as negociações para construir outro arranha-céu magnífico às margens do Hudson com vista de 80 quilômetros em todas as direções e saísse com a aprovação para erguer um prediozinho de três andares sem vista nenhuma.

O Irã conseguiu o que queria (a liberação dos ativos bloqueados) e em troca cedeu o que poderiam parecer enormes concessões, somente para se descobrir que havia tantas brechas que seria praticamente impossível cumprir algo significativo.

A possibilidade de o Irã desafiar o mundo e desenvolver uma arma nuclear ainda é muito real. Se os iranianos decidirem impedir que nós (ou a Agência Internacional de Energia Atômica) inspecionemos suas instalações, não há muito que possamos fazer a não ser agir militarmente. A coalizão de países que aplicou aquelas sanções não existe mais. Aqueles países — e muitos deles não poderiam se importar menos com Israel — tinham emissários em Teerã tratando de negócios antes mesmo de a tinta secar nos acordos laterais.

E aí o presidente Obama não autorizou o Congresso a examinar o acordo. Tão logo os novos "parceiros" iranianos comecem a ganhar dinheiro não há como reimplementar as sanções.

Infelizmente, o acordo foi fechado. Uma vez que as sanções foram retiradas não tem volta, "reversão". Reimplementar as sanções unilateralmente não faria nenhum bem. Sou especialmente muito bom na leitura de contratos. Sempre tem uma brecha, precisamos encontrá-la, e, se necessário, eles pagarão fortunas.

Seja lá o que for preciso, seja lá o que tenhamos que fazer, não se pode deixar que o Irã construa uma arma nuclear.

Há muitos meios diferentes de assegurar que o Irã jamais arme-se com armas nucleares. Eu ficaria feliz de sentar com os líderes iranianos quando eles entenderem que o melhor rumo para o país deles, se quiserem ter um papel importante no mundo civilizado, é encerrar todo o seu programa nuclear. Um Irã com uma arma nuclear iniciaria uma corrida armamentícia nuclear no Oriente Médio com consequências potencialmente devastadoras. A situação escalaria rapidamente para ser a ameaça mais perigosa já enfrentada por Israel. E nos forçaria a tomar medidas extremas em defesa de Israel e de outros aliados na região.

Isso não vai acontecer, seja lá o que o Irã possa estar pensando nesse momento.

★

Atualmente, o mundo tem de lidar com as duas "faces" da China.

A China boa é aquela que construiu grandes cidades e proporcionou moradia e educação para milhões de pessoas. A China boa permite que seus cidadãos viajem pelo mundo e se eduquem, e ajudou a criar uma classe média emergente.

A China má é essencialmente oculta aos estrangeiros. É o governo que controla o acesso à internet de seus cidadãos, reprime dissensões políticas, fecha jornais, aprisiona dissidentes, restringe liberdades individuais, lança ataques cibernéticos e usa sua influência mundial para manipular economias.

E enquanto isso consolida seu poderio militar.

Não há dúvida de que lidar com a China, juntamente com a Rússia, continuará sendo nosso maior desafio a longo prazo.

Nossa competição com a China nesse momento é econômica, e estamos perdendo a batalha faz muito tempo. A China se tornou nosso terceiro parceiro comercial, atrás apenas de nossos países vizinhos, Canadá e México. No entanto, a China detém mais da dívida americana — mais de US$ 1,5 trilhão — do que qualquer outro país. (Embora o Japão esteja próximo.) Como vimos no verão de 2015, quando as bolsas chinesas colapsaram, nossas economias estão ligadas de uma forma muito negativa.

Há muito tempo, havia o ditado: "Quando a General Motors espirra, o mercado de ações pega um resfriado". Naqueles tempos, a GM era tão importante na economia que, se sofria dificuldades, nossa economia também sofria. A recente derrocada abrupta do mercado acionário chinês fez com que a média do nosso Dow Jones despencasse 1.000 pontos em um par de dias, enquanto os investidores corriam em busca de cobertura. De modo semelhante, nosso déficit comercial tem sido um incômodo perigoso em nossa economia. Quando a China desvaloriza sua moeda, isso perturba a já tênue balança comercial.

Sabemos que nos tornamos dependentes dos mercados chineses emergentes — mas eles também se tornaram dependentes de nós. Em 2014, importamos mais bens chineses do que qualquer outro país. Hong Kong, que é uma subsidiária totalmente detida pela China, ocupou o segundo lugar, e o Japão ficou num distante terceiro lugar. A saúde da economia chinesa depende de nós. Eles precisam mais do nosso comércio do que nós deles.

De forma tola, não usamos isso para o nosso benefício.

Nas últimas décadas, a economia chinesa tem crescido a taxas fenomenais de 9% a 10% ao ano, embora mais recentemente já haja sinais de arrefecimento. Apesar dessas recentes oscilações, os economistas têm feito previsões de que na próxima década a China substituirá os Estados Unidos como a maior economia do mundo. O que temos feito para assegurar que seremos capazes de competir com eles? O que temos feito para superá-los?

Vou dizer o que fizemos: empurramos o problema para a frente.

Tem gente que deseja que eu não mencione a China como nosso inimigo. Mas é exatamente isso que ela é. Destruíram indústrias inteiras ao utilizar trabalhadores com baixos salários, custaram-nos dezenas de milhares de empregos, espionaram nossas empresas, roubaram nossa tecnologia e manipularam e desvalorizaram nossa moeda, o que torna a importação de nossos produtos mais cara — e às vezes impossível.

Sei por minha própria experiência que este é um problema difícil. Os chineses são negociantes muito perspicazes e levam grande vantagem sobre nossos fabricantes. Tive diversos produtos da marca Trump fabricados lá.

Esse é um bom exemplo da diferença entre um político e um empresário. Para continuar no mercado, tenho de ser mais esperto que meu concorrente. Eu poderia causar um impacto importante se recusasse ter meus produtos manufaturados lá.

Enquanto estivermos operando sob essas condições, as empresas americanas não têm opção. Países do terceiro mundo têm custos de produção substancialmente mais baixos. Como empresário, tenho a obrigação com todos os meus empregados, consumidores e acionistas de fabricar os melhores produtos ao menor preço possível.

Contudo, no que tange à política global americana, queremos suprimir as vantagens da China. No ano passado, o presidente Obama foi à China e prepararam um bonito banquete para ele. Antes de o presidente chinês Xi Jinping retribuir a visita aqui, a Casa Branca anunciou os planos de um jantar suntuoso. Afirmei que preparar um jantar oficial em sua honra seria praticamente a última coisa que eu faria. Em vez disso, diria que estava na hora de tratarmos de negócios e iríamos trabalhar. Para começar, o regime chinês deve parar de desvalorizar sua moeda, pois ao fazer isso dificulta ainda mais a competição para o resto do mundo.

A realidade é que a China depende de uma economia americana forte tanto quanto precisamos das empresas dela. Em maio de 2015, por exemplo, os americanos compraram US$ 1 de cada US$ 5 de produtos que a China exportou naquele mês. Compramos aproximadamente 20% de todas as suas exportações, consideravelmente mais do que a União Europeia, que é o segundo maior consumidor de produtos chineses. E a porcentagem americana está crescendo ano a ano, tornando a China mais e mais dependente dos consumidores americanos para a sua prosperidade.

Como Steve Forbes escreveu em sua revista, "as posições da China nos títulos do Tesouro norte-americano, que atingiram níveis recordes em 2013, estão fazendo soar os alarmes. Não deviam. Isso enfatiza que Beijing está se tornando mais dependente dos Estados Unidos e do resto do mundo para sua força e prosperidade".

Lembre-se: *os chineses precisam tanto de nós quanto nós precisamos deles*.

Talvez ainda mais.

Assim, o que devemos fazer a respeito? Vamos usar o poder que temos para mudar a situação de modo que favoreça a América e o nosso povo. Temos de começar a endurecer com os chineses. Já negociei com empresas chinesas. Sei como eles fazem negócios. Atualmente sou senhorio do maior banco da China, que tem seus escritórios na Trump Tower. Negociamos uma série de arrendamentos com sucesso. Nem sempre foi fácil. Eles são um pessoal habilidoso, mas jamais recuei.

Acredite: conheço os melhores negociadores deste país, e uma porção deles estaria pronta para trabalhar na criação de uma balança comercial justa. Se pessoas como Carl Icahn estivessem representando a América, veríamos uma enorme diferença em nossa política comercial.

Na realidade, temos uma carta muito forte em mãos. Infelizmente, nossos políticos são estúpidos ou tolos demais para entender isso. Talvez ambas as coisas. Temos várias opções muito boas, mas é importante ser sempre flexível — e jamais revelar nossas cartas. Nossos políticos falam demais.

O presidente Obama faz declarações fortes e nos promete ações vigorosas, e depois nada acontece.

Assim, o que acontece quando ele faz essas promessas e nunca cumpre? Ele perde toda a credibilidade. Fico imaginando o que nossos grandes generais, homens como MacArthur e Patton, diriam se ouvissem um presidente revelar nossos planos para o Oriente Médio ou desafiar nossos inimigos a ultrapassar limites.

Uma história muito boa recentemente citou um empresário descrevendo-me como "imprevisível", notando que essa era uma de minhas melhores qualidades e que me ajudou a ganhar muito dinheiro. Agora que estou concorrendo a presidente, coisa que tantos *experts* previram que eu não faria, essa mesma característica tem dificultado a vida de muitos críticos para descobrir como competir com minha mensagem. Todos eles estão muito ocupados jogando direitinho, seguindo todas as regras do *establishment*, dando todos os passos previsíveis, tentando se enquadrar na sabedoria convencional — e, quando não faço esse jogo, não sabem como responder.

Revelar suas intenções é um dos erros mais imbecis que você pode cometer em um confronto militar. Li muito sobre história e não recordo ter lido que o general George Washington tenha feito reservas de hotel em Valley Forge ou enviado antecipadamente votos de sucesso para os hessianos em Trenton. O elemento surpresa vence batalhas. Por isso não digo ao outro lado o que estou fazendo. Não os advirto e não deixo que me encaixem confortavelmente num padrão previsível. Não quero que as pessoas saibam exatamente o que estou fazendo — ou pensando. Gosto de ser imprevisível.

Isso as mantêm fora de prumo.

Como um líder, também sei que há ocasiões em que é preciso esconder o jogo. Quando eu agrupava propriedades para construir um arranha-céu, por exemplo, tinha de comprar muitos terrenos pequenos para combiná-los numa área muito grande e valiosa, e era absolutamente necessário guardar segredo total. Se os donos daquelas propriedades descobrissem o que eu estava fazendo, teriam condições de extrair muito mais dinheiro de mim por seus terrenos.

Minha opinião é que, nesse momento, estamos falando demais.

Ao lidar com os chineses, precisamos enfrentá-los e lembrar que é mau negócio levar vantagem em cima do melhor cliente. E depois devemos sentar e descobrir como tornar essa relação mais justa.

Não há uma política externa que sirva para todos os países. Precisamos deixar nossas crenças bem claras e deixá-las compor a estrutura de nossa política.

Tudo começa com forças armadas fortes. Tudo.

Teremos as forças armadas mais poderosas de nossa história, e nosso pessoal será equipado com os melhores armamentos e proteção disponíveis.

Ponto.

Isso significa os melhores sistemas de mísseis, os melhores equipamentos e treinamentos bélicos com tecnologia cibernética e os soldados mais bem treinados. E, quando voltarem de uma guerra, abatidos e feridos, nossos soldados não deverão esperar meses pelo tratamento.

Devemos àqueles que nos servem os melhores e mais rápidos cuidados. É ridículo o quanto nossos veteranos têm de esperar para obter a ajuda que merecem. São os nossos heróis, e a administração atual esqueceu deles.

Assim, como viramos o jogo e começamos a vencer de novo?

Como eu disse, começa com as forças armadas mais avançadas e vigorosas do mundo, e também a de maior mobilidade. Precisamos passar parte da conta dessa tranformação para a Arábia Saudita, Coreia do Sul, Alemanha, Japão e Inglaterra. Afinal, estamos protegendo-os, e eles devem participar do custeio.

A seguir, devemos operar de uma posição de poderio econômico. Temos o motor de consumo mais poderoso do mundo. Só precisamos começar a usá-lo para o nosso pleno benefício.

Ninguém gosta mais do que eu de fazer negócios, mas cada contrato que eu fechar terá apenas um objetivo: que a América vença.

Precisamos usar o poder econômico dos mercados americanos e dos consumidores americanos para ajudar nossos amigos e lembrar nossos inimigos dos benefícios da cooperação.

Precisamos usar esses pontos fortes para formar alianças mais robustas com nossos aliados naturais, mas precisamos esperar que estejam do nosso lado quando necessário. Ainda não entendo por que a Alemanha e outros países assistiram impassivelmente quando as tropas de Putin marcharam para a Ucrânia. Você pode ter certeza de que podemos contar com Israel para ficar ao nosso lado no Oriente Médio.

E, por fim, precisamos prestar uma atenção especial nos chineses. Seus dias de nos prejudicar com políticas protecionistas e ataques cibernéticos acabaram.

O novo amanhecer da América está começando.

5

★ ★ ★

EDUCAÇÃO: UMA NOTA NEGATIVA

MEU PAI NÃO se formou na faculdade. Vivia ocupado demais trabalhando e consolidando seu negócio, mas compreendia e apreciava o valor da educação. Meu pai tinha grande respeito por pessoas com grau universitário, embora tivesse criado uma grande empresa do ramo imobiliário e ganhasse muitas vezes mais do que a maior parte delas. Com a ajuda financeira de meu pai, seu irmão mais jovem, John, fez mestrado em física na Columbia e doutorado no Massachusetts Institute of Technology, uma das universidades mais prestigiadas da América. Meu tio se tornou um professor renomado do MIT e inventou um dos primeiros geradores de raios-X de milhões de volts usados para salvar as vidas de pacientes com câncer. Durante a Segunda Guerra Mundial, desempenhou um papel importante no desenvolvimento do radar. O presidente Truman agraciou-o com o Certificado de Mérito Presidencial, e ele ganhou também a Medalha Nacional da Ciência.

Aprendi com meu pai e meu tio o valor do trabalho e o valor de uma boa educação. Pela minha experiência, aprendi o que acontece quando se junta esses dois componentes. Eu cursei a Wharton School of Finance, da University of Pennsylvania, que, na minha opinião, é a melhor faculdade de administração de empresas da América — e possivelmente a mais difícil de se entrar.

Há uma coisa que sei que até os políticos profissionais apoiarão — educação é bom. Essa é a declaração mais fácil para um político apoiar. Mas a pergunta é: como asseguramos que a melhor educação possível esteja disponível para maioria das crianças americanas?

Porque neste momento a situação não é esta.

Como muitas outras áreas que os nossos assim chamados líderes conseguiram destruir, o sistema educacional americano está se degradando. Estamos em 26º no mundo — 26º! Isso é um constrangimento. Investimos mais dinheiro em educação per capita do que qualquer outra nação —, mas 25 países do mundo desenvolvido oferecem uma educação melhor para suas crianças do que nós. Isso é simplesmente inaceitável.

Parte do problema são os políticos! Eles são incapazes de administrar um sistema educacional nacional com uma abordagem abrangente, ditada de cima para baixo. Nossos estados e distritos locais estão tendo bom desempenho na tomada de decisões sobre qual a melhor educação para nossos filhos. O Departamento de Educação tem ditado a política educacional há tempo demais, e isso precisa parar. O *Common Core* não funciona.

Muita gente acredita que o Departamento de Educação deveria simplesmente ser eliminado. Nos livrarmos dele. Se não o eliminarmos por completo, com certeza precisamos reduzir seu poder e alcance. A educação tem de ser administrada localmente. *Common Core, No Child Left Behind* e *Race to the Top* são todos programas que tomam decisões longe dos pais e dos conselhos escolares municipais. Esses programas possibilitam que os progressistas do Departamento de Educação doutrinem, e não eduquem, nossos filhos. O que eles estão fazendo não se encaixa no modelo americano de administração.

Sou totalmente contra esses programas e o Departamento de Educação. É um desastre. Não podemos continuar falhando com nossos filhos — o futuro dessa nação.

Cursei uma escola militar, a New York Military Academy. Era um lugar rígido, muito rígido. Havia ex-sargentos de treinamento por toda parte, e aquele pessoal gostava de gritar e, acima de tudo, de lutar! Nossos instrutores eram exigentes em tudo, desde o estudo até a higiene pessoal. Aprendi história americana e como dobrar apropriadamente minhas roupas de modo que pudessem ser empilhadas. Essa talvez não seja uma habilidade que tenha tido muitas aplicações em minha vida, mas fazia parte de ensinar aos meus colegas cadetes e a mim disciplina, foco e autoconfiança.

A regra principal era muito simples: faça direito ou faça de novo. Um de meus companheiros de dormitório escolar disse a um jornalista recentemente: "A escola ensinava você a ser um líder. Ensinava: 'mostre-me um fracassado sensível, e mostrarei a você um fracassado'... Honestidade e franqueza eram a lei. Ficava enraizado em nós que não se mente, engana, rouba ou tolera quem faz isso".

Pode ser por isso que jamais me tornei um político (até agora)!

Nosso sistema educacional nacional jamais pretendeu limitar-se aos três R's, história e ciências. Ele foi concebido para formar jovens equilibrados capazes de prosperar no mundo. Além de educação, os jovens supostamente se graduariam com alguns valores básicos, autodisciplina e habilidades práticas. Um pouco de bom senso também não faria mal. Nossas escolas não ensinam mais essas coisas. Em vez disso, estamos mais preocupados com que os jovens tenham autoestima e se sintam bem consigo mesmos do que em prepará-los para a vida real. A turma do politicamente correto assumiu o controle de nossas escolas, e como resultado estamos arruinando nossos filhos. E nossos filhos arruinarão a América se não fizermos nada a respeito. Os educadores preocupam-se com que a garotada se sinta mal se for reprovada num teste. Você sabe o que faz um garoto se sentir bem?

Vencer.

Ser bem-sucedido.

Emburrecemos o currículo pelo menor denominador comum; em muitas faculdades, eliminamos inteiramente o sistema de notas, e os diplomas foram praticamente reduzidos a certificados de comparecimento.

Nossas escolas, nossos professores e nossos jovens são capazes de mais. Muito mais.

O problema é que estamos adotando a saída mais fácil. Em vez de criarmos altos padrões e exigirmos mais, estamos esperando menos. Temos de endurecer. Esquecer essa bobagem de autoestima; precisamos começar a desafiar os jovens. Precisamos deixá-los falhar quando não trabalharem com afinco.

Qualquer um que obteve êxito nos negócios sobreviveu a uma porção de fracassos — mas foi rijo o bastante para dar a volta por cima e tentar de novo e de novo. Os jovens precisam aprender que sucesso exige persistência. A autoestima deve derivar da superação de desafios e da sobrevivência aos percalços de tentar melhorar.

Atualmente, no entanto, alguns professores e administradores de escola estão mais preocupados em não ferir os sentimentos de seus alunos ou ouvir reclamações de pais de que estão sendo rígidos demais. Em vez de ficarmos mais competitivos, estamos na realidade eliminando a competição. Isso é incrível — e errado.

A competição fortalece, força a trabalhar mais, fazer mais. As corporações que não conseguem competir com outras saem do mercado, não importa o quanto sejam boas ou se sintam bem sobre si mesmas. As pequenas empresas enfrentam o mesmo desafio. Os donos têm de trabalhar duro e competir pela sobrevivência ou não terão êxito.

Sou plenamente a favor da escolha da escola por causa da competição. Deixem as escolas competir pelas crianças. Garanto que, caso se forçasse as escolas a melhorar ou fechar porque os pais não querem matricular seus filhos lá, elas melhorariam. As escolas que não fossem suficientemente boas para atrair estudantes fechariam, e isso é bom.

Há duas décadas insisto com os políticos para que abram as portas das escolas e deixem os pais decidir quais escolas são melhores para seus filhos. Os educadores examinam opções como escola de preferência (*school choice)*, escolas autônomas (*charter schools*), programas de subsídios (*voucher programs*), escolas especializadas (*magnet schools*)e oportunidade de ensino de maior qualidade (*opportunity scholarships*).

Chame do que quiser — tudo se resume à mesma coisa: fomentar a competição.

As pessoas contrárias a oferecer opções para os pais alegam que isso seria o fim das boas escolas públicas. As melhores escolas autônomas ou especializadas retirariam as crianças com melhor desempenho do sistema, ou abalariam o moral das que ficassem para trás.

De repente, a excelência oriunda da competição está sendo criticada.

Vamos examinar os fatos. Embora o número de escolas autônomas tenha crescido substancialmente, ainda é uma pequena porcentagem de nossas escolas públicas. Mas parece que estão fazendo a diferença, especialmente em áreas urbanas. O Center for Research on Education Outcomes da Stanford University estudou o impacto das escolas autônomas em 41 áreas urbanas. Foi reportado que os alunos das escolas autônomas, comparados com os de escolas públicas, aprendem matemática 40 dias mais rápido e leitura em 28 dias a menos. Isso é significativo, independentemente de como se olhe.

Veja, sei que tanto as pessoas a favor como as contrárias à escola de preferência conseguem listar argumentos intermináveis e dados estatísticos mostrando que as escolas autônomas são muito bem-sucedidas ou não fazem qualquer diferença. Esse é um debate legítimo. Mas qualquer pessoa, exceto um político em campanha que busque apoio dos sindicatos de professores, deve perceber que classes com menos alunos, instrução mais individualizada e disciplina mais rígida fazem uma enorme diferença positiva. Tornar os professores responsáveis é importante, mas devemos parar de medir seu desempenho com testes padronizados insensatos. Devemos adotar as histórias de sucesso e usá-las como modelo para melhorar os demais.

Não estou preocupado com as crianças que crescem em comunidades ricas, onde os altos impostos sobre propriedade permitiram a construção de ótimas escolas, contratação dos melhores professores e fornecimento de todos os materiais necessários. Essas escolas estão indo bem.

Em muitas áreas urbanas, no entanto, as escolas devem lutar por cada dólar e são forçadas a fazer com que professores e alunos tragam artigos básicos, como lápis e papel. Isso é uma tragédia nacional.

O problema com as escolas públicas é que em muitos locais é impossível fazer uma medição honesta de como estão indo. Se uma escola autônoma não cumpre sua função, ela fecha. Esse é o tipo de responsabilidade que precisamos em todo nosso sistema educacional.

Um enorme obstáculo é o poder dos sindicatos de professores. Essas entidades não querem a escola de preferência, pois isso significa uma potencial redução nos empregos protegidos por sindicatos. Em Nova York, por exemplo, os sindicatos são tão poderosos há tanto tempo que, há mais de quatro décadas, Woody Allen colocou uma cena no filme *O dorminhoco* em que um homem acorda no futuro e lhe informam que o mundo que ele conhecera havia sido destruído quando o presidente do poderoso sindicato de professores "apossou-se de um artefato nuclear". Graças aos sólidos contratos negociados pelo sindicato de professores da cidade de Nova York, ficou praticamente impossível disciplinar um professor, e mais ainda despedi-lo.

Quando há uma reclamação legítima contra professores no sistema de Nova York, em vez de se ter uma rápida audiência para determinar a validade da denúncia, os professores são transferidos para uma área conhecida por "sala da borracha" enquanto esperam a audiência.

E esperam. Ficam em salas de aula vazias ou saletas sem fazer nada — mas ainda assim recebem o salário integral. Alguns professores passam vários anos nessa situação. Não é de surpreender que chamem isso de sala da borracha — o conceito como um todo é insano. Mas é o resultado dos acordos que sindicatos fortes impuseram a Nova York e outras cidades. Quando os sindicatos de professores combatem a escola de preferência, estão dizendo que seu produto não é bom o bastante para competir em um mercado livre. Talvez estejam certos. E os bons professores? Podem ficar presos também e à mercê do sindicato.

Esses sindicatos têm um belo monopólio, então por que não desejariam proteger seu espaço? A propósito, os professores não são a única classe com sindicatos problemáticos. Na cidade de Nova York, os serventes chegam ao trabalho pela manhã exatamente no mesmo horário que os estudantes. Isso significa que a caldeira pode ainda não estar ligada, que as portas podem ainda estar trancadas, e os estudantes têm de esperar do lado de fora.

Para ser sincero, não sou um grande admirador dos sindicatos de professores, mas tenho grande admiração e respeito por professores. A maioria de nós consegue citar o nome de um ou dois professores que tiveram profunda influência em nossa vida. Mas transformamos o ensino em uma profissão dura. Bons professores adoram ensinar. Respeitam e honram a profissão. No entanto, em muitas salas de aula, tiramos seus direitos de disciplinar crianças disruptivas, transformando os professores em babás ao invés de educadores.

E uma porção de bons professores não ganha bem. Essa é uma opção interessante que fizemos como sociedade. Confiamos nossas crianças a professores durante a maior parte do dia, e estes terão um enorme impacto em como seus alunos crescerão. Mas não pagamos bem o bastante para atrair as melhores pessoas para a profissão.

Infelizmente, os professores não são pagos com base no mérito. O padrão para o avanço é essencialmente o número de anos de serviço — senioridade. Os professores realmente bons e inspiradores se esgotam física e mentalmente sob as terríveis condições encontradas em várias escolas. Os maus professores tendem a permanecer, pois não têm outro lugar para ir. Desse modo, os contracheques tendem a ser maiores para os menos capacitados.

Isso é exatamente o oposto do que devíamos estar fazendo.

Um modo de tornar a profissão mais atraente é reinstaurar um pouco de disciplina nas escolas. Muitas de nossas escolas não são seguras. A colocação de detectores de metais na porta pode evitar que os estudantes entrem com armas, todavia não impede que causem problemas. Precisamos ser muito mais rígidos com os encrenqueiros. Precisamos parar de sentir pena deles. Eles estão roubando o tempo de estudo de outros estudantes.

Não estou dizendo que devemos voltar à época em que os professores puniam os alunos fisicamente, mas precisamos restaurar as regras sobre o comportamento em sala de aula e contratar seguranças treinados que possam ajudar a aplicar essas regras. Os pais ou tutores também devem participar do processo.

A maioria dos problemas disciplinares entre estudantes começa em casa. Todos os pais devem se perguntar: que tipo de exemplo estou dando?

Ao mesmo tempo, não há nada mais importante para o futuro deste país do que nossas faculdades e universidades. Temos o melhor sistema de ensino superior do mundo. Existe um motivo para jovens de todo o mundo virem estudar em nossas escolas.

O problema é que os custos do ensino superior são estratosféricos, tornando-o tão inacessível que muitos estudantes potenciais não conseguem bancar ou têm de contrair empréstimos enormes para pagar o ensino. Em vez de facilitar para que mais dos nossos jovens obtenham o ensino de que necessitam, estamos dificultando o acesso e, com isso, disponibilizando-o apenas para famílias mais ricas.

Meu pai obteve sucesso sem ter diploma de faculdade, mas isso seria muito mais difícil nos dias de hoje. De acordo com o Census Bureau, as pessoas com bacharelado ganham em média US$ 51 mil ao ano. São US$ 23 mil a mais do de quem tem apenas um diploma do ensino médio e praticamente o triplo do que aqueles que abandonaram os estudos no ensino médio.

Quando faço palestras em faculdades, os alunos me cercam e me fazem duas perguntas. A primeira: posso dar ou conseguir um emprego para eles? E a segunda: o que podemos fazer a respeito de seus empréstimos? Eles nem mesmo se formaram, ainda não começaram a trabalhar e já hipotecaram seu futuro.

Atualmente, um curso de quatro anos pode ser caro a ponto de gerar uma dívida de 6 dígitos.

Obter um diploma avançado ou de medicina pode impingir uma dívida bem acima de US$ 100 a US$ 200 mil a um jovem profissional.

Se os estudantes não conseguem bolsas de estudo ou o suporte de um empréstimo, os pais têm de intervir, apesar dos riscos a seus próprios fundos de aposentadoria. Podem ter de pedir dinheiro emprestado, geralmente contratando uma segunda hipoteca se possuem uma casa com valor suficiente.

Não podemos perdoar essas dívidas, mas devemos tomar medidas para ajudar.

O grande problema é o governo federal. Não há razão alguma para o governo lucrar com os empréstimos estudantis. Isso apenas piora um problema difícil. O *Federal Student Loan Program* teve lucro de US$ 41,3 bilhões em 2013.

Esses empréstimos estudantis provavelmente são uma das únicas iniciativas em que o governo não deveria ganhar dinheiro e todavia ganha.

E você acha que isso tem algo a ver com o motivo pelo qual as escolas continuam a aumentar suas mensalidades ano após ano? Esses empréstimos deveriam ser vistos como um investimento no futuro da América.

No fim, não temos escolha. Temos de mudar o modo como educamos nossos filhos. Devemos devolver o controle básico e a responsabilidade de nossas escolas aos estados e comunidades locais. Eles precisam estabelecer padrões para seus professores e alunos que recompensem a excelência e a qualidade competitiva. Nossas comunidades têm de fazer da educação uma prioridade, com flexibilidade nos impostos sobre propriedade e outros fundos envolvidos. E, mais importante, os pais precisam incutir um espírito de disciplina, foco e paixão pelo aprendizado em seus filhos, pois as escolas não podem fazer isso sozinhas.

Estamos vivendo em um mundo muito competitivo. Se estudarmos como os países asiáticos assumiram o controle em tantos setores de tecnologia, o alerta está na cara.

O futuro de nosso país está estudando em nossas salas de aula neste exato momento.

Fazer nosso sistema educacional funcionar é um passo importante para tornar a América grande outra vez.

6

★ ★ ★

O DEBATE ENERGÉTICO: UM MONTE DE BRAVATAS

CONFORME COSTUMAM ATRIBUIR a Mark Twain: "Todos conversam sobre o tempo, mas ninguém faz nada a respeito". Aparentemente, estamos tentando provar que ele estava errado.

Estamos na realidade atribuindo padrões climáticos ao homem. Primeiro, os chamados "experts" disseram que éramos responsáveis pelo aquecimento global, mas então, quando as temperaturas começam a cair, os cientistas começam a se referir a essas variações como "mudança climática".

Agora, esses "experts" não conseguem descobrir se está ficando muito quente ou muito frio, de modo que o novo termo é "condições climáticas extremas". Ele cobre de tudo, desde um calor fervente até um frio glacial. No entanto, o ponto central é o mesmo: ao lançar subprodutos da queima de combustíveis fósseis na atmosfera, supostamente alteramos os padrões naturais do tempo.

Em seu discurso State of the Union de 2015, o presidente Obama declarou que a maior ameaça ao planeta hoje em dia é a mudança climática. Maior ameaça?! Temos tropas do Estado Islâmico decepando cabeças de inocentes missionários cristãos. Temos uma coalizão de adversários na Síria apoiando um ditador que usa armas químicas contra seu próprio povo. Temos milhões de americanos com hipotecas superiores ao valor de sua propriedade, enquanto a renda da classe média está estagnada e mais de 40 milhões de cidadãos vivem na linha da pobreza.

E o nosso presidente está mais preocupado com a mudança climática?

Se retroceder na história, você vai descobrir que os maiores tornados que tivemos neste país ocorreram nos anos 1890, e a maioria dos furacões nos anos 1860 e na década de 1970. "Mudanças" climáticas violentas não são fenômenos novos.

Tivemos inclusive eras do gelo.

Não me ocorre acreditar que sejam criadas pelo homem.

Concordo que as supostas mudanças climáticas globais estejam causando alguns problemas para nós: levando-nos a desperdiçar bilhões de dólares para desenvolver tecnologias de que não precisamos para atender nossas necessidades energéticas.

O presidente Obama apresentou um programa conhecido por *cap and trade*, que estabelece um teto, ou *cap*, para as emissões anuais de dióxido de carbono pelas empresas. Isso teria forçado as empresas a reduzir essas emissões ou pagar uma taxa pelo que é liberado acima do limite. Como não conseguiu aprovar essa lei no Congresso, o presidente acionou seus lacaios da Environmental Protection Agency para tentar impor o plano por meio de formulação de regras.

Este plano teve sucesso principalmente em uma coisa — manter os preços do petróleo inflados. Mesmo após o barril de petróleo ter caído para US$ 50, ainda vivemos com preços muito altos nas bombas de gasolina.

A verdade é que temos suprimentos de energia suficientes neste país para nos abastecer até o próximo século — tudo o que devemos fazer é desenvolvê-los. Entre todas as dávidas que Deus concedeu à América está um suprimento abundante de energia natural. De acordo com o Departamento de Energia, as reservas de gás natural que temos no solo poderiam suprir nossas demandas energéticas por séculos.

Por exemplo, o Marcellus Shale Fields sob Nova York, Pensilvânia, Ohio e Virgínia Ocidental poderia produzir o equivalente a dezenas de bilhões de barris de petróleo, dando-nos tempo suficiente para desenvolver formas alternativas de energia mais baratas e razoáveis.

Neste momento, somos extremamente dependentes do petróleo. O custo da energia é uma das forças motrizes de nossa economia. A criação de empregos está diretamente relacionada ao custo do petróleo. Quanto maior o custo para levá-lo do solo ao consumidor, menos empregos são criados em todos os setores movidos a petróleo. Nem mesmo sabemos qual o volume de petróleo que jaz sob seus pés no momento em que você lê este livro.

Pesquisadores da Rice University em Houston, Texas, estimaram que podemos ter dois trilhões de barris de petróleo recuperável, suficientes para os próximos 285 anos. A tecnologia mudou tanto nos últimos anos que um estudo do Goldman Sachs estimou que, em 2017 ou 2018, poderíamos ultrapassar a Arábia Saudita e a Rússia e nos tornarmos o maior produtor de petróleo do mundo.

O petróleo está aí para ser extraído; apenas temos de pegá-lo.

Jamais entendi por que, com todas as nossas reservas, permitimos que o país virasse refém da OPEP, o cartel de nações produtoras de petróleo, algumas hostis à América. Nas últimas décadas, os líderes da OPEP sentaram em sua mesa de negociação, fixando o preço do petróleo e rindo da nossa cara.

Eles sabem que não temos liderança e que pagaremos qualquer preço que conspirem para criar. Há décadas instigo nossos políticos para ter peito para desmontar o cartel da OPEP, mas aí lembro de outro dito de Twain: “Suponha que você fosse um idiota. E suponha que você fosse um membro do Congresso. Estou sendo redundante”.

Não podemos ser enganados ou iludidos por uma sensação de segurança com a queda atual dos preços do petróleo, que é imprevisível e ainda insuficiente, dada a quantidade de petróleo lá fora. Esses preços do petróleo são como o tempo: é certo que vão mudar. Precisamos estar preparados para extrair nosso próprio petróleo. E precisamos tirar vantagem de todas as oportunidades, inclusive aprovando a Keystone XL Pipeline.

É ultrajante o presidente Obama ter atrasado e provavelmente até liquidado a tubulação de 1,9 mil quilômetros de extensão que transportaria o petróleo das areias betuminosas do Canadá para o Nebraska, onde se conectaria com outras tubulações já existentes, seguindo até o Texas, ao mesmo tempo criando milhares de empregos na construção. O excesso de petróleo no mercado, que provocou uma grande redução nos preços, fez isso parecer menos vital nos dias de hoje, mas eventualmente o mundo precisará desse petróleo, e precisaremos dos bons empregos que ele criará.

Uma das principais críticas à tubulação é a possibilidade de derramamentos de petróleo. Até o Departamento de Estado afirmou que a tubulação será segura, muito melhor e mais segura do que o atual sistema de transporte. Mas meras possibilidades não devem impedir o progresso. Você se prepara para essas situações tomando o máximo possível de precauções e, quando elas ocorrerem, você faz a limpeza.

Precisamos expandir nossas próprias fontes de petróleo, pois o Oriente Médio, nossa maior fonte externa, está ficando cada vez mais instável. Ainda precisamos do petróleo saudita, embora sejamos menos dependentes dele do que éramos há poucos anos.

No entanto, a Arábia Saudita é alvo principal — e em alguns casos o lar — de terroristas. Dada a enorme dependência dos sauditas na exportação do petróleo e a falta de uma economia sustentável além do setor petroleiro, eles provavelmente precisarão de nossa ajuda em algum momento para continuar nos negócios. Essa é uma ameaça real, e é por isso que precisamos reduzir consideravelmente nossa dependência externa de petróleo.

Nossas prioridades iniciais precisam ser a aprovação da Keystone

XL Pipeline e o começo da extração de petróleo onde quer que esteja acessível.

Houve um grande impulso para o desenvolvimento de formas alternativas de energia — a chamada energia verde — a partir de fontes renováveis. Esse é outro grande erro. Para começar, todo esse impulso na busca de energias renováveis está sendo influenciado pela motivação errada, a crença equivocada de que a mudança climática global está sendo provocada por emissões de carbono. Se você não engole essa — e eu não engulo —, então o que temos é apenas um meio dispendioso de deixar os ambientalistas se sentindo bem com eles mesmos.

A fonte mais popular de energia verde são os painéis solares. Eles funcionam, mas não fazem sentido em termos econômicos. Não conseguem gerar economia suficiente de energia para cobrir os custos de instalação e uso. São a modalidade de energia verde mais altamente subsidiada da América.

Algumas estimativas afirmam que leva várias algumas décadas após a instalação dos painéis solares para você reaver seu dinheiro. Isso não é exatamente o que eu chamaria de investimento seguro.

Mesmo que o número esteja apenas parcialmente correto, que tipo de investimento você faz que leva 20 anos antes de chegar ao equilíbrio? Entendo que a energia solar eventualmente se tornará mais eficiente e talvez com melhor custo-benefício. Talvez. Quando se provar acessível e confiável no fornecimento de uma porcentagem substancial de nossa demanda energética, então pode ser que valha a pena discutir. Enquanto isso, devemos manter nossos carros e caminhões em movimento, e nossas casas e edifícios aquecidos. Há meios muito mais eficazes, confiáveis e com melhor custo-benefício para se fazer isso.

Não é segredo que tive sérios problemas pessoais com os defensores das turbinas eólicas. Por vários anos briguei com o governo escocês por causa do plano de construírem uma fazenda eólica medonha, consistindo de 11 turbinas gigantescas no mar diante de um dos mais bonitos resorts de golfe do mundo em Aberdeen.

O resort Trump International Golf Links Scotland em Aberdeen é uma conhecida atração turística que beneficiará a economia escocesa e criará empregos, enquanto essas turbinas destroem algumas das maiores belezas do mundo.

Não existe energia eólica suficiente em algum outro lugar?

Para mim, essa política jamais fez sentido. Até em seu pico de rendimento, o governo escocês teria de gastar milhões de libras por ano em subsídios para essa fazenda eólica. Sustamos o projeto nos tribunais por quase cinco anos, e durante esse período o preço do petróleo caiu tão drasticamente que o projeto não faz mais sentido em termos econômicos. Por isso, jamais será construído. Prestei um enorme favor à Escócia.

A exemplo de outros países, a Escócia está tentando satisfazer completamente suas demandas energéticas com fontes renováveis na próxima década, mas há um considerável ceticismo a respeito desse plano. Bill Gates disse sem rodeios em 2015: "A energia renovável não consegue dar conta. Os governos devem transferir os subsídios às energias verdes para a pesquisa e desenvolvimento". O custo de gerar toda essa potência a partir de energia eólica e solar seria, disse ele, "mais que astronômico". Gates disse ao *Financial Times* que a resposta ao suprimento de nossa demanda futura de energia virá de avanços tecnológicos ainda a ser atingidos. Gates disse que ele pretendia investir até 2 bilhões de dólares em pesquisas de fontes renováveis de energia — mas não no desenvolvimento de energia solar ou eólica.

Existem também muitas questões sobre os danos que a energia solar e eólica causam ao meio ambiente. Um estudo recente reportado por um grupo de pesquisa britânico concluiu que a energia eólica é "excessivamente cara e ineficiente na redução de emissão de CO_2". Não só isso: "A energia eólica, respaldada pela geração convencional a gás, pode emitir mais CO_2 do que as turbinas mais eficientes que operam unicamente a gás" —, e a construção desses monstros de aço, principalmente na China, gera muitos poluentes.

Ironicamente, ao mesmo tempo em que a fazenda eólica na Escócia avançava, um projeto similar foi rejeitado em Doonbeg, Irlanda, onde estou construindo outro lindo resort. O plano era arruinar as esplêndidas vistas com nove turbinas de 125 metros de altura — o equivalente a enfileirar nove campos de futebol americano na vertical, incluindo as duas zonas finais.

Felizmente esse plano foi rejeitado porque as turbinas poderiam prejudicar a população estimada de 7 mil mexilhões de água doce que estão na lista de espécies sob risco de extinção da União Europeia e habitam o rio Doonbeg, e também por prejudicar o turismo.

Esse magnífico resort com campos de golfe, absolutamente um dos melhores do mundo, estava oferecendo enormes benefícios à economia local.

Fomos salvos por mexilhões.

A conclusão final é que continuaremos dependentes do petróleo e do gás natural para atender nossas demandas de energia por um longo tempo no futuro. Portanto, se é para nos tornarmos independentes em termos de energia, precisamos continuar perfurando poços. A boa notícia é que temos enormes suprimentos de combustíveis fósseis. Precisamos apenas decidir ir em busca deles.

Precisamos utilizar todos os métodos de melhor custo-benefício disponíveis para recuperar esses recursos. Isso inclui o *fracking* (fraturamento hidráulico). Para quem não sabe, *fracking* é uma tecnologia que envolve injetar fluidos sob alta pressão em leitos de xisto para liberar recursos ali encerrados. Isso possibilita recuperar vastos volumes de gás e petróleo que não podem ser alcançados por métodos tradicionais.

Embora o governador de Nova York, Andrew Cuomo, tenha proibido o *fracking*, a tecnologia criou um boom econômico em Dakota do Norte, Pensilvânia e Ohio. Houve mais criação de emprego e menos desemprego nessas regiões do que praticamente em qualquer outra parte do país. Os nova-iorquinos gostariam de replicar esse boom em sua região, baixar impostos e quitar a tremenda dívida do estado de Nova York.

A conclusão final sobre energia é que, até haver uma melhor "alternativa" ou um modo "verde" de atender às nossas demandas energéticas, devemos colocar nossos recursos a trabalhar para nós, agora.

7

★ ★ ★

O SISTEMA DE SAÚDE ESTÁ NOS DEIXANDO DOENTES

A DIFERENÇA BÁSICA entre o estilo dos políticos e o meu estilo é que eu efetivamente tive de *fazer* as coisas que os políticos apenas *falam em fazer*.

Contratei milhares de funcionários. Tive de negociar com empreiteiros e sindicatos. Tive que fornecer plano de saúde para meus operários. Eu sei quais são os verdadeiros custos, sei quais são os problemas. Sei o que funciona e o que não funciona.

Mais importante, sei onde está o desperdício e como proporcionar uma boa cobertura médica a custos razoáveis.

Os políticos não querem escutar a verdade, nem querem dizer a verdade. São completos hipócritas, especialmente quando disputam uma reeleição. Adoram discursar em comícios e condenar "os gastos descuidados do governo" e o "desperdício governamental". No entanto, cada projeto aprovado no Congresso é recheado de agrados especiais para seus distritos.

Denominamos essa abordagem "cocho de porcos",* o que é um verdadeiro insulto aos animais, que comem apenas para sobreviver. O

* Em inglês, "pork barrel", significando "clientelismo" em português. (N.T.)

clientelismo na política está criando desperdício governamental a fim de recompensar algum doador ou grupo de interesse especial ou apaziguar algum membro ranzinza do Congresso em troca de seu voto.

E nós pagamos por isso.

Fico muito furioso quando penso em como o nosso "Affordable Care" Act foi forçado goela abaixo pelos democratas.

Até Nancy Pelosi, líder da maioria democrata no Congresso à época, admitiu que a maioria dos defensores do projeto não o tinham lido realmente.

É claro que o público não entendeu o que o *Obamacare* oferecia: complexidade, concessões ao lobby das seguradoras, a retirada do direito de mantermos nossos médicos atuais e, naturalmente, os custos cada vez maiores, ocultos, da assistência médica, especialmente para os cofre públicos e empresas de todos os portes. E, para indivíduos jovens e saudáveis, é impossível escapar dele sem pagar uma multa.

Virtualmente todos os republicanos — e um número crescente de democratas — entendem que esse já é um desastre que só vai piorar. Os prêmios estão indo às alturas — de 30% a 50% —, e isso só vai piorar.

Vejam, sou um homem de sorte. Consigo pagar a melhor assistência médica do mundo para mim, minha família e meus empregados. Eu sei disso, mas também sei que a maioria das famílias não consegue o mesmo e precisa de alguma ajuda. Este é um tópico realmente muito importante para mim há muito tempo.

Não há dúvida. O *Obamacare* é uma catástrofe e tem de ser repelido e substituído. E foi aprovado só porque o presidente Obama mentiu 28 vezes dizendo que você podia manter seu médico e seu plano — uma fraude, e os republicanos deveriam tê-lo processado, e é isso mesmo que eu disse. Como as diferentes cláusulas entram em vigor ao longo dos próximos anos, as franquias individuais continuarão a subir estratosfericamente. As pessoas terão de ser atropeladas por um caminhão para ficarem elegíveis para cobertura, pois as franquias serão muito altas.

O pessoal da área médica detesta isso.

Os médicos estão saindo fora em todos os lugares.

Tenho um amigo que é um dos melhores médicos do país. Você conheceria os nomes de muitos de seus pacientes. Ele disse: "Donald, jamais vi nada igual. Não consigo mais praticar medicina do jeito que gosto. Tenho mais contadores e programadores de computador trabalhando para mim do que enfermeiras". Ele está certo. Existem hoje mais de 100 códigos para os médicos obterem reembolso das seguradoras.

Transformamos a "papelada" ou as "pastas de computador" de nosso sistema médico no mesmo pesadelo de nosso código fiscal de 80 mil páginas.

Como tenho dito repetidamente, o "un-Affordable" Care Act tem de ser substituído. No que eu me diferencio do que os demais dizem — como de costume — é no modo como o mudaria. Há muitos anos, muito antes de qualquer um falar disso, eu sabia que tínhamos que fazer mudanças no sistema. Sabia porque via o efeito dos custos do programa de saúde nos resultados corporativos. Sabia porque na época tínhamos mais de 40 milhões de americanos sem absolutamente qualquer seguro de saúde, e agora estamos forçando empregos de meio turno sistema adentro.

Naquela época, eu disse que precisávamos encontrar um plano para todos que fosse acessível economicamente, bem gerido e proporcionasse liberdade de escolha. Você sabe, um plano que efetivamente lhe permita manter seu médico se quiser. Naquela época, falei de um plano com um único agente de reembolso, que, em nosso sistema então muito menos complicado, poderia ter tido chance de funcionar. Mas foi apenas uma das inúmeras sugestões de um não político numa ocasião em que vários conceitos e ideias também eram discutidos. Isso foi há 15 anos, mas ainda é bastante citado por muita gente. Acredito que não haja nada novo de que possam reclamar. Como de costume, como eles não têm suas próprias soluções, recorrem à "política de pegadinha" que não nos aproxima em nada da solução desse ou de qualquer outro problema. É muito papo e nenhuma ação. O Affordable Care Act é um claro exemplo disso.

Para ter êxito nos negócios, você precisa ser flexível e mudar com as realidades do mundo. O mundo mudou; eu mudei. Não acredito mais que um sistema de reembolso único faça sentido. Se acreditasse, diria; não precisaria que algum outro dissesse por mim. Talvez um sistema com um pagador único funcione em outros países. Funciona incrivelmente bem na Escócia, por exemplo, e talvez pudesse ter funcionado bem aqui em uma outra época.

Mas não mais.

Assim, o que podemos fazer a respeito? Não há dúvida de que precisamos de uma verdadeira reforma no sistema de saúde. Não podemos deixar o povo americano sem tratamento médico porque as pessoas não têm recursos apropriados. Lamentavelmente, essa declaração pode me prejudicar — mas ainda acredito que os republicanos têm um grande e lindo "coração" e desejam ajudar os pobres e os doentes e podem fazer isso a um preço justo. Não consigo nem mesmo imaginar como deve ser ficar doente e não poder ir ao médico. Isso apenas despeja as pessoas de volta nas salas de emergência, já superlotadas e ineficientes.

O Census Bureau informou que 10 milhões de pessoas foram integradas ao sistema agora. Temos de encontrar um meio de cuidar dessas pessoas que não conseguem cuidar de si mesmas. Acredito piamente nisso — mesmo que me prejudique.

Sei que os americanos concordam comigo, pois, onde quer que eu vá, Ohio, Flórida, Iowa, Carolina do Sul e New Hampshire, quando digo isso, a plateia me aplaude de pé. A verdadeira discussão é: como podemos cuidar daqueles que não podem cuidar de si mesmos? Como garantir que os americanos tenham acesso a um bom plano de saúde, de modo que nossos filhos consigam tudo de que precisem e que até as pessoas que não conseguem pagar os programas básicos obtenham ao menos uma assistência razoável?

Para mim, é bobagem os políticos afirmarem que temos uma resposta para tudo. Quando você ouve alguns políticos desfiarem suas respostas preparadas, quase se apaixona. Eles são tão espertos que já têm uma solução para cada problema, e ela é sempre melhor que a solução dos outros. Que conveniente. Mas não para o nosso país, porque nada é feito. Nada é resolvido, e não vencemos. O que ouço é uma porção de promessas ridículas de políticos sobre como pretendem resolver tudo. Todos eles são *experts*. Mas nada jamais acontece. São só papo e nada de ação.

A maioria deles é realmente competente em dizer absolutamente nada. Todos têm algum tipo de programa, mas, quando você ouve, ainda assim não entende do que estão falando.

Minha abordagem é completamente diferente. Trato de problemas complicados, como prover tratamento de saúde para a maioria dos americanos a um preço que possamos pagar, do mesmo modo que resolvo os problemas mais difíceis nos negócios. Devemos contratar as pessoas mais conhecedoras do assunto e trancá-las em uma sala — e não destrancar a porta até que cheguem a um consenso sobre as medidas que precisamos tomar.

Quando falo, várias vezes as pessoas dizem que não apresento as diretrizes específicas que algum especialista em pesquisas determinou ser o que as pessoas querem ouvir. Sei que esse não é o estilo dos políticos profissionais — eles parecem pesquisar e dirigir cada palavra aos grupos focados. Mas não existe ninguém como eu.

Ninguém.

Peço às pessoas para examinarem o que fiz ao longo de toda minha carreira. Vejam o sucesso que obtive fazendo as coisas do meu jeito.

Assim, elas têm uma opção: podem fingir que alguma solução impossível efetivamente acontecerá, ou podem ouvir a pessoa que provou que consegue solucionar problemas.

Comecei em uma imobiliária relativamente pequena localizada no Brooklyn e fiz mais de US$ 10 bilhões. Hoje moro no que é considerado o melhor quarteirão imobiliário do mundo — a Quinta Avenida, entre as ruas 56 e 57, bem ao lado da Tiffany's, no coração da cidade de Nova York.

Isso não significa que eu não tenha algumas ideias sobre a abordagem correta a ser adotada. Primeiro, não podemos cortar os benefícios do Medicare ou da Previdência Social. Isso está fora das negociações. Esses programas podem ser salvos pelo crescimento da economia. Segundo, existem algumas mudanças simples que proporcionariam benefícios reais.

Como eu disse, gostaria de ver um sistema privado de seguro de saúde sem as linhas artificiais traçadas entre os estados. Precisamos nos livrar dessas linhas e deixar que pessoas e empresas cruzem as fronteiras estaduais para comprar o melhor plano para elas. O governo não deveria se intrometer, deixando as seguradoras competir pelos contratos dos clientes.

Tenho uma empresa de grande porte. Tenho milhares de funcionários. Se estou negociando seguros de saúde para meus funcionários em Nova York, Califórnia ou Texas, geralmente tenho um licitante em cada estado. A competição reduz os preços, e, do modo como é hoje, a lei desestimula a competição entre as seguradoras na busca de clientes. Elas têm virtuais monopólios em seus estados. Isso não faz sentido. É muito estúpido e injusto para nós.

Você sabe quem adora a falta de competição? Aquelas seguradoras que estão fazendo uma fortuna porque controlam os políticos. Elas pagam para eles com suas contribuições, e é um bom investimento da perspectiva delas. Para o nosso país, nem tanto. Elas doam dinheiro a quase todos os políticos. Estou usando meu próprio dinheiro, por isso sou livre para fazer o que é correto e servir às pessoas, não aos lobistas.

Ninguém entende de negócios melhor do que eu. Você quer melhores planos a preços melhores? Aumente a competição pelos clientes.

O governo não tem que atuar na assistência à saúde, exceto em último caso. O principal em que o governo deve se envolver é garantir que as seguradoras sejam financeiramente fortes, de modo que, caso haja um evento catastrófico ou elas cometam algum tipo de erro de cálculo, tenham os recursos necessários para lidar com a situação.

Se seguirmos minha lógica, nosso sistema de saúde e nossa economia estarão bem de novo muito em breve.

8

★ ★ ★

AINDA É A ECONOMIA, ESTÚPIDO

TODOS OS ESPECIALISTAS e praticamente todo o mundo disseram que eu jamais concorreria à presidência. Quando anunciei que era candidato a presidente, algumas dessas mesmas pessoas previram que isso não aconteceria. Estavam certas de que eu desistiria da corrida antes de abrir meus demonstrativos financeiros.

Aparentemente, pensaram que eu ficaria constrangido em admitir que não sou tão rico como a maioria das pessoas pensa. Mas, após eu preencher aqueles documentos, descobriram que eu valia muito mais.

Eu sou rico. Quero dizer, sou *realmente* rico. Ganhei mais dinheiro do que inclusive pensei que ganharia — e tive uns sonhos muito grandiosos.

Você sabe, ouço a conversa dos políticos, e eles dizem coisas do tipo: "Fui professor de direito constitucional, de modo que sou especialista em Constituição". Ou talvez digam: "Fui membro do Comitê de Relações Exteriores do Senado por 25 anos, o que faz de mim um especialista em política externa". Sublinham como foram "bem-sucedidos" quando eram CEO de uma grande companhia — onde cortaram 30 mil empregos, muitos dos quais acabaram indo para o exterior, tornando-os, portanto, especialistas na criação de empregos, especialistas em enviar empregos para *fora* da América para substituir empregos *dentro* da América.

Ouço essas pessoas falando sobre como vão arrumar nossa economia, como vão criar empregos, como vão reduzir impostos e equilibrar o orçamento. Sacudo a cabeça e penso: vocês não estariam qualificados nem para serem candidatos no *Aprendiz*.

Não devemos aceitar aconselhamento fiscal de congressistas que não conseguem aprovar um orçamento, nem devemos esperar que cumpram suas promessas de criação de emprego. Precisamos de alguém que seja um negociador durão e um líder genuíno. Lamentavelmente, a maioria republicana não possui a liderança ou as habilidades de negociação necessárias para aprovar um orçamento que elimine programas que devem ficar inteiramente no setor privado, ou mesmo ser eliminados por completo.

A única época em que eles realmente confrontam Obama, e depois se dobram, é nos dias finais do exercício, quando estão chegando ao fim as autorizações de gastos. Onde eles estavam nesse verão, quando o trabalho e o consenso de verdade poderiam ter sido desenvolvidos?

Eles vão arruinar as vidas de milhões de americanos — e destruir nossas avaliações de crédito —, pois não possuem as habilidades de liderança necessárias para tornar nosso país grande outra vez e proteger os americanos.

Somos confrontados por uma mistura de má gestão e má política.

Precisamos de uma liderança na Casa Branca que mantenha o governo funcionando enquanto tira os federais de todas as áreas que não são de sua alçada. Se o governo for apropriadamente dimensionado e focado, não precisaremos passar por uma crise após outra.

Precisamos começar pelo Congresso dos Estados Unidos. Tivemos presidentes (Lyndon Johnson é um exemplo; Ronald Reagan é outro) que conseguiram construir consenso e fazer as coisas andar. Quando o presidente Reagan demitiu os controladores do tráfego aéreo no sétimo mês de governo, mandou um recado que os sindicatos ouviram em alto e bom som. Quando o presidente Johnson forçou a barra para obter os votos suficientes para a aprovação de um projeto de direitos civis, foi para cima da extrema esquerda e da extrema direita e ameaçou-as para fazer as coisas como queria.

Isso pode ser feito.

O presidente Obama é bom em jogar golfe. Mas não joga com as pessoas certas. Deveria estar jogando com aquele pessoal inteligente que pode ajudar nosso país, estabelecendo vínculos para fazer as coisas andarem — e não apenas com seus amigos.

Acredite, sei como utilizar um campo de golfe — e clubes de golfe — para fazer negócios. As únicas coisas que funcionam são ter um ponto de vista claro e saber divulgar sua mensagem por todo o país, de modo que as pessoas apoiem e entendam sua missão. Dessa forma não ficamos divididos, e grupos com interesses especiais não conseguem comprar os resultados que desejam, nem nos separar.

Tudo isso se resume a liderança. Não acredito que muita gente fosse discordar do que digo. Quando você assiste à minha cobertura na televisão, nos jornais ou na mídia social tem de concordar que atraio mais atenção por minhas opiniões do que todos os outros candidatos republicanos juntos. Felizmente, isso é respeito e não entretenimento puro — mas pode ser um pouquinho de ambos.

Consigo detonar o ridículo viés liberal da mídia e falar diretamente ao coração das pessoas — ou pelo menos tento. Até mesmo a revista *New York*, dificilmente uma publicação conservadora, me deu crédito em sua cobertura por sacudir o status quo.

De novo estamos falando de liderança.

Quando se trata de criação de empregos ou de endireitar nossa economia, sou o único especialista que não está falando na "teoria". Falo com o bom senso e o realismo prático aprendidos na escola das adversidades. Estive lá, cursei-a, sofri com adversidades, contraí dívidas, revidei e saí por cima, muito maior e mais forte do que antes.

Durante a recessão de 1990, vários de meus amigos faliram e jamais se recuperaram. Nunca fali. Sobrevivi e aprendi muito sobre como lidar com tempos difíceis. Nosso país está passando por tempos difíceis — entendo isso e sei como resolver.

Sou um lutador. Me derrube e voltarei ainda mais forte. Adoro isso!

Passei toda a minha vida não apenas ganhando dinheiro, mas, mais importante, aprendendo a gerir meus recursos e a compartilhá-los com os milhares de funcionários que trabalharam para mim. Pelo que dizem nossos críticos de esquerda, precisamos do socialismo para fazer este país avançar e precisamos de um presidente que consiga formular as regras à medida que vá em frente. Se ele não consegue que o Congresso faça algo, é necessário governar com medidas do Executivo.

Eu digo que isso é uma completa bobagem.

O mercado livre funciona — precisa apenas de liderança, não de ditadura. Nosso governo precisa seguir a Constituição à risca e manter os programas sociais que inspiram e recompensam realizações e são constantemente justificados em termos de gastos e resultados. Estou muito preocupado com os 46,5 milhões de pessoas vivendo na pobreza e com a grande maioria de americanos de classe média que mal conseguem pagar suas casas (ou as perderam). Estou muito preocupado com as pessoas que não podem pagar a educação de seus filhos. Em resumo, estou preocupado com as pessoas que não podem comprar a entrada para o sonho americano porque os programas financeiros desse país estão muito inclinados a favor dos ricos.

Por isso uma de minhas ideias mais sólidas é examinar o código fiscal tanto em sua complexidade como no viés óbvio em favor dos ricos. Os fundos hedge e administradores financeiros são importantes para os nossos fundos de pensão e os planos 401(k) que ajudam milhões de americanos — mas muito menos importantes do que eles acham. Porém, os consultores financeiros devem pagar os impostos mais altos quando estão ganhando dinheiro nesses níveis. Com frequência, esses engenheiros financeiros estão "arrasando" empresas, despedindo pessoas e ganhando bilhões — sim, bilhões — de dólares, "enxugando" e destruindo a vida de pessoas e às vezes empresas inteiras. Acredite, pois sei o valor de um bilhão de dólares — mas também sei a importância de um único dólar.

O dinheiro que ganhei foi resultado de meu próprio trabalho — projetos que criei, contratos que firmei, empresas que comprei e reformulei. Entendo o que significa para meus empregados trabalhar na construção, um dos empregos mais difíceis e perigosos do mundo.

Aqueles que passam os dias suando no trabalho não deviam ter de suar durante à noite ao pensar na vida.

Jamais tive a "segurança" de constar da folha de pagamento do governo. Fui o cara que pagou a folha. Nem sempre foi assim tão fácil. Na década de 1990, o governo alterou a legislação tributária sobre imóveis e tornou essas alterações retroativas. Foi muito injusto, mas fui à luta e prosperei. Essas medidas absolutamente aniquilaram a indústria da construção. Tiraram muita gente do negócio. A paixão mal orientada de ambientalistas atualmente torna a construção de qualquer coisa muito mais difícil. Temos hoje uma regulamentação louca e excessiva. Você mal consegue comprar um clipe de papel sem estar violando alguma política governamental.

Não é de surpreender que o estresse em nossa sociedade seja o mais alto de todos os tempos. Deixe que executivos competentes e justos administrem suas empresas, especialmente as pequenas, sem tanta interferência. Eles podem então ganhar mais dinheiro, empregar mais gente — e não apenas no meio turno forçado pelo *Obamacare* — e ter vidas mais felizes por si.

Neste exato momento, o país está em um grave problema financeiro. Nossa dívida nacional é superior a US$ 19 trilhões, e estamos a caminho dos US$ 20 trilhões. Até os economistas mais liberais advertem que, quando passarmos dos US$ 20 trilhões em dívidas, estaremos em grande, grande dificuldade. Nesse ponto, nosso sistema financeiro vai começar a vacilar e diminuir nossa capacidade de contrair empréstimos, bem como aumentar o custo dos juros sobre nossa dívida.

Nesse ponto, perderemos boa parte da credibilidade nos mercados mundiais. No último ano, os Estados Unidos foram o único país que manteve a estabilidade financeira enquanto Europa e Ásia vacilavam. Nossa dívida é uma carga muito perigosa de se carregar por aí. Há números avassaladores de americanos que não participaram do crescimento econômico do ano passado, ou dos últimos 20 anos, na verdade. Eles estão sendo forçados a hipotecar seus sonhos — seu sonho americano — só para se manterem onde estão, só para sobreviverem. Têm pouca ou nenhuma esperança de progredir.

Este é um caso onde nosso sistema está quebrado, e necessitamos consertá-lo. Temos de fazer algo para mudar o modo como desenvolvemos políticas e temos começar agora já. Precisamos de pessoas que entendam o escopo dos problemas e saibam como dar uma reviravolta total na situação.

Precisamos de liderança!

Algumas das soluções propostas não fazem sentido. Tem políticos que imaginam que um meio de reduzir a dívida nacional seja cortar a Previdência Social ou outros programas de benefícios. Temos de andar com muito cuidado aqui. Desde nossa "grande" depressão, há mais de 80 anos, a América sempre proporcionou uma rede de segurança social para aqueles que saem dos gráficos econômicos. Idosos aposentados, em particular, dependem de pensões e da Previdência Social, bem como do Medicare.

É preciso ter muito cuidado para alterar as regras para aqueles cujos cheques mensais fazem uma enorme diferença em sua sobrevivência. Uma porção de gente vive de cheque em cheque. Não vou deixar esses pagamentos serem reduzidos de jeito nenhum. Sem chance. Este país celebrou um contrato com nossos cidadãos. É o dinheiro deles. Eles contribuíram para o sistema durante toda a vida de trabalho, de modo que os idosos pudessem receber seus cheques mensais.

Agora é a vez deles.

Não devemos tocar na Previdência Social. Isso está fora de questão.

Mas sabe de uma coisa? Tem muita gente rica que não necessita desse sistema. Assim, se o governo me oferecesse a oportunidade de desistência, eu aceitaria. Tenho certeza de que outros indivíduos ricos fariam a mesma coisa. Ainda assim, o impacto disso na solução da crise financeira que enfrentamos seria mínimo.

Alterar a tributação para que seja mais justa com todas as faixas de rendimento é uma resposta muito melhor para esse grande problema.

Com certeza existem "benefícios" que podem ser revistos por desperdício, direção equivocada ou execução esbanjadora. Discuto as políticas de imigração em outra parte, mas questiono se imigrantes ilegais — ou seus filhos — devem receber os mesmos benefícios que cidadãos idôneos ou que estão aqui legalmente.

Ao mesmo tempo, a benevolência governamental para com muitas empresas e indústrias — "benefícios para os ricos" — precisa ser examinada. Desconfio muito de programas de complementação de renda que parecem se expandir para setores dominados por grandes grupos lobistas ou empresas controladas por importantes doadores em campanhas eleitorais.

Para resolver nosso problema econômico geral, temos de começar a reconstruir nossas indústrias para enfrentar o desafio dos concorrentes estrangeiros e criar empregos de verdade. As estatísticas do governo são elaboradas para parecer muito positivas, mas na vida real a situação é terrível.

Quando você examina a situação do desemprego, há duas variáveis muito significativas. Uma é a porcentagem de pessoas que desistem e abandonam o mercado de trabalho. Elas não são incluídas na amostragem do desemprego. Nossa chamada taxa de participação no trabalho

— aqueles que permanecem no mercado de trabalho — é a mais baixa em quase 40 anos. Não era tão baixa desde que o presidente Jimmy Carter governava o país, e ele presidiu durante uma espiral inflacionária na qual as taxas de juros excediam 20%.

Quando você também leva em conta o grande número de empregados em subempregos, o índice real de desemprego sobe além dos 13% ou até 20%. Sei que vários especialistas financeiros questionam a avaliação governamental do mercado de trabalho e as estatísticas divulgadas. Em nossa vida diária, vemos com nossos amigos e vizinhos que o mercado de trabalho ainda está muito problemático, pois enxugamento continua a ser uma palavra da moda para corporações na tentativa de aumentar o preço de suas ações.

Não são apenas empregos que estamos perdendo para outros países. Estamos vendo indústrias inteiras desaparecerem.

Os americanos desejam trabalhar. Temos uma grande ética de trabalho neste país. O problema é que, quando jovens buscam seus primeiros bons empregos ou pessoas que perderam o emprego buscam novos, não conseguem encontrar nada.

Não existem trabalhos. Desapareceram!

Com certeza faço minha parte em minhas atividades. Sei criar empregos. Criei dezenas de milhares de empregos em minha carreira. Milhares de pessoas trabalham para mim hoje e muitos milhares mais são empregadas em minhas sociedades. Estou envolvido em literalmente centenas de empresas, quase todas funcionando muito bem e estabelecendo novos padrões e recordes.

Elas incluem de tudo, desde uma companhia de água mineral engarrafada a um vinhedo. Administramos rinques de patinação, produzimos programas de TV, confeccionamos artigos de couro, criamos fragrâncias e possuímos belos restaurantes.

Com certeza nosso sustento está em nossos tijolos e argamassa, ou imóveis. Possuímos, construímos, administramos e/ou licenciamos várias edificações lindas de todos os tipos.

Há apenas uma coisa que todas as nossas atividades têm em comum: todas ajudam a proporcionar empregos para as pessoas. Quando construo um edifício ou implanto um resort de golfe, criam-se empregos para operários da construção civil e para todas as empresas fornecedoras de materiais, desde os pisos até os acessórios de iluminação.

São bons empregos.

Quando um edifício é concluído e ocupado, ou quando pessoas jogam em um de meus campos de golfe, ou quando se hospedam em meus hotéis, disponibilizamos pessoal de serviço que mantêm esses empreendimentos em atividade.

Mais bons empregos.

A mesma coisa é válida ao ter meus produtos fabricados na China, México ou outros países. Alguns me atacaram porque reclamamos desses países e ao mesmo tempo tenho produtos manufaturados lá.

Minha resposta: sou um realista. Sou um competidor.

Quando estou trabalhando em um contrato de negócios, faço o melhor acordo. Mas deveríamos alterar o ambiente de negócios de modo que os fabricantes conseguissem o melhor acordo *exatamente aqui, nos EUA*. Nesse momento, não é assim que funciona.

Precisamos de uma legislação que dê às empresas americanas isenções fiscais e suporte financeiro para criar mais tecnologia e redirecionar mais de sua produção para o ambiente doméstico.

Devemos impedir que certos países desvalorizem suas moedas sem pensar duas vezes.

Somos o time da casa e devemos ter prioridade.

Assim, como retomamos os empregos que perdemos para outros países?

Resposta: começando por negociar melhores acordos comerciais com nossos parceiros "amistosos".

Precisamos retomar empregos de países como China, Japão e México. Temos de nos posicionar e ser duros. Sob vários e excessivos aspectos estamos cedendo o maior mercado mundial — os consumidores americanos.

A Ford anunciou recentemente que está construindo uma fábrica de US$ 2,5 bilhões no México. A Nabisco está transferindo uma grande unidade de Chicago para o México. Uma montadora alemã de carros estava pronta para construir uma fábrica no Tennessee, mas depois mudou de ideia e está construindo no México.

Como isso acontece? Quantos bons empregos perdemos apenas nesses dois contratos? Quantos mais contratos como esses escorregaram por nossos dedos sem nem ao menos percebermos? Centenas, milhares talvez, mas não mais!

É ridículo. Todos sabemos que a força de trabalho americana é a melhor de todas. Temos apenas que deixá-la competir.

Mas ficamos parados enquanto somos derrotados em acordos comerciais. Em minhas empresas, lutamos por todos os contratos. Lutamos pelo melhor preço de materiais de limpeza para nossos restaurantes e pelo melhor preço para a impressão dos rótulos de nossas garrafas de vinho.

Luto por meu pessoal todos os dias.

Agora estou lutando pela América. Quero que nosso país volte a vencer de novo. E nós podemos!

Tudo que se precisa é do comprometimento em vencer e tornar a etiqueta “Fabricado nos EUA” um distintivo de honra, como costumava ser.

9

★ ★ ★

CARAS BACANAS PODEM TERMINAR EM PRIMEIRO

SOU UM CARA BACANA. Sou mesmo. Mas tenho um hábito desagradável que a maioria dos políticos de carreira não tem: eu falo a verdade. Não tenho medo de dizer exatamente aquilo em que acredito. Quando me fazem uma pergunta, não respondo com um discurso que ignora um tema controverso. Eu respondo a pergunta.

Às vezes as pessoas não gostam da minha resposta. Que ruim.

Por isso me atacam. E, quando alguém me ataca, eu revido. Pesado.

Essa sempre foi a minha filosofia. Se meus críticos me atacam, eu revido. Vamos ser honestos e verdadeiros uns com os outros. Tenho confiança de que minhas respostas fazem o maior sentido.

Sabe quem realmente gosta dessa abordagem? O povo americano.

As pessoas não estão acostumadas a ouvir a verdade dos políticos, mas adoram a verdade e adoram ouvi-la de mim.

Elas jamais viram alguém como eu na política. Jamais viram alguém disposto a enfrentar os lobistas, os comitês de ações políticas, os interesses especiais que têm influência excessiva sobre os políticos de Washington. Estou pagando minha campanha, de modo que posso dizer o que quiser. Farei apenas o que é correto para o nosso país, que eu amo.

Às vezes, pago um preço por isso. Lealdade é extremamente importante para mim. Meus familiares e amigos íntimos dirão que sou extremamente leal. Por isso, quando anunciei que estava concorrendo, fiquei muito interessado em ver quais dos meus chamados amigos permaneceriam leais a mim.

Na política, obter 55% dos votos é considerado uma vitória esmagadora — mas significa que 45% das pessoas são contra você. Jamais tive 45% contra mim. Quando ia a eventos, as pessoas me aclamavam, eu ouvia poucas vaias ou provocações. Mas, quando você concorre a um cargo político, repentinamente começa a ouvir algumas vaias ao fundo. Certa noite, em um evento beneficente em que eu havia feito uma doação significativa, minha esposa Melania estava comigo quando fui saudado calorosamente. Mas ficamos surpresos ao ouvir um pequeno grupo de pessoas vaiando ao fundo. Melania disse para mim: "Querido, sabe de uma coisa? Você jamais foi vaiado antes". Virei para ela e disse: "Bem-vinda ao mundo da política".

Na realidade, me surpreendi com algumas pessoas que considerava amigas. Uma de minhas maiores surpresas foi a Macy's. Tive um bom e longo relacionamento com o presidente e CEO, Terry Lundgren — um cara muito bacana e bom executivo. Eu vendia camisas, gravatas, abotoaduras e fragrâncias na Macy's. Íamos muito bem. Aprecio o fato de que a Trump fosse a única marca que conseguisse vender um apartamento de US$ 50 milhões e uma gravata de 37 dólares.

Terry Lundgren era um bom amigo. Passamos bastante tempo juntos em Mar-a-Lago e em vários campos de golfe Trump. Apresentei-o a pessoas que se tornaram boas amigas dele. Recebi uma ligação de Lundgren em agosto de 2015, quando a mídia me atacava por minhas declarações sobre a imigração ilegal. Eu estava me preparando para discursar diante de uma enorme plateia em New Hampshire quando meu celular tocou. O mestre de cerimônias já estava me apresentando — falando sobre alguns de meus edifícios e meu bom desempenho nas pesquisas. Mas quando vi que Terry — um amigo — estava ligando, atendi.

"Donald, Donald, tenho de falar com você", disse ele, num tom apressado e nervoso. "Estamos recebendo ligações de mexicanos. Eles vão montar piquetes na Macy's."

Respondi: "Não é um grande problema. Ficarão lá por uma hora".

"Não posso deixar que isso aconteça", disse ele. "Não seria bom para a reputação de nossa empresa."

Disse que estava me aprontando para fazer um discurso e que não poderia falar com ele, mas enfatizei: "Se você fizer isso, será realmente um ato de deslealdade, pois está se dando bem vendendo minhas camisas e gravatas. Além do mais, não seria bom para a minha imagem."

Terry respondeu: "Tenho de fazer algo. Estamos divulgando uma nota à imprensa de que o contrato com você será cancelado". Uau, pensei comigo mesmo, e essa é uma empresa que acabou de pagar uma enorme multa por alguns atos terríveis com os clientes. Nada bom!

Enquanto ele lia a nota, o mestre de cerimônias anunciou meu nome, e a multidão rugiu. "Espere um pouco. Você está lendo isso enquanto tenho de falar aqui nesse lugar lotado? Não pode esperar até amanhã?"

"Temos de decidir isso agora", disse ele. "Não posso esperar."

"Uau. Que grande ato de deslealdade. Estou dizendo que, se montarem um piquete, ficarão lá uma hora. Ninguém dá bola."

Minhas gravatas, camisas, abotoaduras e fragrâncias agora estão disponíveis na Trump Tower, e não mais na Macy's. Fiquei sabendo que milhares de pessoas rasgaram seus cartões de crédito da Macy's e mandaram de volta para a loja por causa disso. O público entende.

Ouvi também que outras empresas pararam de fazer negócios com a Macy's. E pelo menos um empresário proeminente me disse: "Não posso acreditar na deslealdade de Terry Lundgren". E acrescentou brincando: "Ele frequentava Mar-a-Lago mais do que você!".

Da mesma forma, NBC e Univision recusaram-se a transmitir os concursos Miss Universo e Miss Estados Unidos. Processei a NBC, mas chegamos a acordo após eu comprar sua metade da companhia e vender tudo para a IMG. Atualmente, estou processando a Univision por uma quantia substancial de dinheiro.

Tive uma longa relação de muito sucesso com a NBC, que ganhou milhões com a exibição de *O aprendiz*, meu programa de grande audiência. Mas, antes disso acontecer, avisei que, se fosse concorrer a presidente, não faria mais o show por causa da regulamentação sobre a igualdade de tempo. *O aprendiz* já havia sido renovado, e os principais executivos da NBC e Comcast vieram a meu escritório para me convencer a mudar de ideia.

Steve Burke, da Comcast; o presidente da NBC, Bob Greenblatt; e Paul Telegdy, diretor dos reality shows, são caras maravilhosos, e meu relacionamento com eles foi uma experiência maravilhosa. Estou muito feliz por termos acertado nossos litígios, e a vida continua.

Meu processo contra a Univision continua firme, e em algum momento espero ganhar um bocado de dinheiro deles. Houve uma quebra de contrato, e eles devem pagar por isso. É uma pena, pois tive um ótimo relacionamento com seus dois principais executivos, Randy Falco e Beau Ferrari. Quem sabe? Em algum momento provavelmente reataremos esse relacionamento.

A publicidade sobre rompimentos naquelas primeiras semanas foi implacável: ESPN ROMPE LAÇOS COM TRUMP — embora eu jamais tivesse tido contrato com a ESPN. A emissora estava utilizando meu campo no Oceano Pacífico, o Trump National Los Angeles, para um evento de golfe. NASCAR CORTA TODOS OS LAÇOS COM TRUMP — mas eu não tinha qualquer laço com a Nascar; eles estavam alugando um salão de baile no Trump National Doral para o banquete anual. E, de fato, retive os substanciais depósitos deles e aluguei esses locais para outras empresas — felizmente por mais dinheiro.

A situação se acalmou, e as pessoas agora estão me dando grande crédito por levantar o problema da imigração ilegal. Tornei essa questão tão importante porque ela é muito importante para o futuro da América. Não me surpreendi de ela ter causado tantos problemas. A maioria dos políticos não gosta de se aproximar muito de algo tão controverso. Não me importo. Aprendi com meu pai a ser direto, honesto e me posicionar por minhas convicções.

Fred Trump, meu maravilhoso, rígido, porém adorável pai, construiu, possuiu e administrou edifícios em Queens e Brooklyn. Ganhou muito dinheiro, poderia simplesmente descansar e relaxar, mas isso não era de seu feitio. Mesmo nos fins de semana, ele dava uma passada em algum edifício, casa ou canteiros de obras. Se os corredores estivessem sujos ou houvesse alguma lâmpada queimada, os funcionários do local logo saberiam. Meu pai não se incomodava muito em magoar sentimentos alheios — ele queria ver os pisos limpos ou, como costumava dizer, "novinhos em folha". Se o responsável não conseguisse mantê-los limpos, era despedido. Meu pai acreditava que tinha uma obrigação com seus inquilinos. Seu lema era simples: você faz seu trabalho, você mantém seu trabalho. Faça-o bem e conseguirá um trabalho melhor. Isso sempre fez sentido para mim.

Infelizmente, a política não funciona dessa maneira. Na política, assim que alguém é eleito, é difícil mandar embora. Não há motivação alguma para tentar fazer qualquer coisa. Se o público americano tivesse ideia do que realmente acontece, ficaria muito mais furioso do que está. Os índices de aprovação do Congresso seriam ainda menores do que são. Os políticos de carreira gostam de trabalhar desse jeito; ser político é a carreira deles. Conheço muitos deles; acredite, eles não conseguiriam um emprego no setor privado. Não querem que alguém retire seus ótimos planos de pensão e benefícios de saúde — que *você* está pagando.

Os grupos de interesses especiais e os lobistas também gostam do jeito que está. Ganham muito dinheiro vendendo influência — e doar dinheiro é muito mais fácil do que limpar chão. Acredite, sei como a coisa funciona, fiz inúmeras doações de campanha.

Não estou aceitando um centavo dessa gente. Eu me pago. Assim, as velhas regras não se aplicam a mim — e essas pessoas que se beneficiam com essas regras não sabem como reagir. A princípio, esperavam que, se me ignorassem, eu desistiria. O povo americano com certeza provou que estavam erradas. O povo adora o fato de que, finalmente, há uma pessoa defendendo seus interesses!

Não conseguiram me ignorar, então começaram a me atacar. Esses políticos veteranos buscaram o ponto em que eu era mais vulnerável — por isso atacaram meu cabelo que, a propósito, é meu. Demonstraram muita coragem atacando meu cabelo; isso resultou no que pode ser a manchete política mais estranha já escrita quando a NBC News informou: TRUMP DEFENDE O CABELO E ATACA A MÍDIA EM COMÍCIO DE CAMPANHA!

Recentemente, no entanto, alegam que não tenho divulgado muitos dados específicos. Há uma boa razão para isso, e ela se encaixa perfeitamente à minha filosofia de liderança: muitos de nossos problemas, causados por anos de decisões estúpidas ou pela falta de decisões, cresceram até virar uma enorme bagunça. Se eu pudesse brandir uma varinha mágica e resolvê-los, o faria. Mas há uma porção de diferentes vozes — e interesses — que precisam ser considerados ao trabalhar em busca de soluções. Isso envolve reunir pessoas em uma sala e negociar compromissos até que todos saiam da sala no mesmo compasso.

Ninguém gosta de se comprometer. Acredite, jamais comprometo os princípios básicos que estou abordando neste livro. No entanto, cada participante de uma decisão precisa sentir que sua posição é compreendida. A parte mais difícil da construção de um edifício é conseguir a concordância das autoridades da cidade, do conselho local, dos ambientalistas, dos comitês locais de zoneamento e da mídia permanentemente crítica de que se trate de um projeto aceitável. Depois temos de conseguir a participação dos bancos, empreiteiras e sindicatos para garantir que o projeto seja economicamente viável.

Se eu dissesse no início: "Esta é exatamente a forma como construiremos esse edifício", as manchetes anunciariam: GRANDE OPOSIÇÃO AO NOVO PROJETO DE TRUMP! Nada seria feito.

Os mesmos princípios se aplicam à administração federal. O Congresso não consegue aprovar um orçamento porque ninguém sabe negociar com os vários grupos de interesses especiais envolvidos no financiamento de nosso governo. Na maior parte do tempo, o Congresso simplesmente aceita os gastos do ano anterior, que foi uma continuação dos gastos do ano precedente. Segue-se um acordo sobre uma medida paliativa temporária emergencial. Não há resolução final, de modo que o mesmo processo capenga é repetido ano após ano.

Precisamos encontrar o melhor pessoal, incluindo *experts* em vários campos e economistas, bem como líderes parlamentares para oferecer perspectiva e determinar quais programas estão funcionando e devem ser mantidos ou expandidos, quais devem ser cortados e que novos programas poderiam ser implementados para lidar com o mundo em transformação. Políticos de carreira sempre afirmam ter essas respostas — mas como é possível se não analisaram apropriadamente a situação?

Um grande líder deve ser flexível, permanecer firme em seus princípios mais importantes, mas encontrar espaço para compromissos que possam aglutinar as pessoas. Um grande líder tem de ser um negociador sagaz para não afundarmos cada projeto em pontes clientelistas para lugar nenhum. Eu sei como manter meus princípios — mas também sei que republicanos e democratas precisam descobrir bases comuns para defender.

Precisamos ver mais realizações reais nos primeiros 100 dias da próxima administração do que vimos nos sete anos do governo Obama. Washington precisa andar na direção certa outra vez. Felizmente, você entenderá que isso é mais importante do que os detalhes instáveis de planos grandiosos que jamais serão postos em ação.

E, a propósito, delineei uma série de iniciativas políticas. Não é a "política da esperança". É a "política da realidade", que apenas um empresário forte como eu consegue desenvolver.

Outro artifício favorito que meus oponentes usam para atacar minhas ideias é afirmar que não sou um conservador, ou sequer um republicano. Ou pior, que não sou um político! Afirmam que isso impossibilita que eu consiga fazer as coisas em Washington.

Tenho uma novidade para eles: *Washington não funciona!*

Ironicamente, foi esse tipo de crítica que ajudou minhas ideias a atrair atenção e ganhar popularidade desde o início. O contraste lembrou aos americanos o que eles realmente pensam de políticos de carreira.

Quanto a ser republicano e conservador, deixe-me contar uma história sobre como nosso sistema político realmente funciona. Em maio de 2015, o presidente de um importante grupo conservador de advocacia, o Club for Growth, foi ao meu escritório na Trump Tower. Ele pareceu ser um cara muito bacana e sensato. Durante a reunião, disse algumas coisas muito elogiosas sobre meu sucesso profissional e falou que precisávamos de pessoas como eu em Washington.

Passada uma semana, recebi uma carta dele dizendo: "Como nós dois sabemos, são os donos de empresas que criam empregos — não os governos". Em seguida, pediu uma doação de um milhão de dólares.

Um milhão de dólares!

Quando recusei o pedido, ele me atacou na imprensa. Eu não era um candidato legítimo, disse ele, "e seria uma desgraça se roubasse os holofotes até mesmo em um único debate republicano".

Roubasse os holofotes de quem? Alguém, suspeito eu, que fez aquela doação polpuda.

Quando assumi a ponta nas pesquisas, esse grupo gastou um milhão de dólares em anúncios atacando-me em Iowa. É um grupo inteligente, aparecem em meu escritório pedindo uma doação de um milhão de dólares — e isso acaba custando-lhes um milhão de dólares.

Enquanto isso, continuam falando mal de mim para seus seguidores: "Donald Trump é o pior tipo de político, que dirá qualquer coisa para se eleger". Dizer qualquer coisa para eles significa dizer a verdade para mim.

Esse caso demonstra tudo que está errado com nosso sistema político. Olhamos para os políticos e pensamos: esse pertence àquele milionário. Aquele outro pertence àquele milionário, lobista ou grupo de interesse especial.

Eu? Eu falo pelo povo.

Por isso o *establishment* me ataca. Não conseguem me possuir, não conseguem me pautar; portanto, buscam maneiras de me desdenhar. Apontam (com exatidão, pelo menos uma vez) que em certa época fui um democrata registrado. Cresci e trabalhei em Nova York, onde virtualmente todo mundo é democrata.

Sabe quem mais foi democrata? Ronald Reagan. Ele trocou de lado, e eu troquei alguns anos atrás, quando comecei a ver o que os democratas liberais estavam fazendo ao nosso país. Agora, sou um republicano conservador com um enorme coração. Não decidi me tornar um republicano. É o que sempre fui.

Por natureza, sou uma pessoa conservadora. Acredito em uma ética forte no trabalho, valores tradicionais, ser frugal em vários aspectos e agressivo em questões militares e política exterior. Apoio uma interpretação estrita da Constituição, o que significa que os juízes devem ater-se à jurisprudência e não escrever uma nova política social.

Represento os valores conservadores tradicionais. Levanto todas as manhãs e vou para o trabalho. Trabalho arduamente, sou honesto e muito bem-sucedido. Os bilhões que tenho? Ganhei cada centavo. No começo de minha carreira, meu pai jamais me deu muito dinheiro, mas me deu uma grande ética de trabalho. Sempre reconheço aqueles que me odeiam quando dizem que meu pai me deu US$ 200 milhões quando eu estava iniciando. Quem me dera!

Número um: ele não tinha esse montante de dinheiro. Naquela época, todo o Brooklyn não valia US$ 200 milhões. Número dois: se tivesse o dinheiro, jamais teria dado para mim.

Quando eu quis deixar o Brooklyn e o Queens e me aventurar em Manhattan, ele pensou que eu estava louco. No entanto, confiava em mim. Jamais esquecerei quando ele disse à minha incrível mãe: "Olhe, não sei se ele está certo ou errado, mas tenho de deixá-lo fazer isso. Ele é muito competente e talentoso, e quem sabe? Talvez consiga se dar bem". Meu pai era um osso duro de roer, mas tinha um bom coração. Era um homem que realmente amava a esposa e os cinco filhos: Maryanne, Elizabeth, Robert, Fred e eu. E sempre queria o melhor para nós.

Ele me emprestou uma pequena quantia de dinheiro — emprestou, não deu — cerca de um milhão de dólares, montante que provavelmente eu poderia ter captado de um banco, e com isso teve início a parte mais importante de minha jornada. Paguei meu pai alguns anos depois, com juros de mercado, após meus contratos em Manhattan começarem a deslanchar — e com muito sucesso. Um deles, o Grand Hyatt Hotel, foi um grande sucesso, construído por mim — dentro do prazo e abaixo do orçamento. Ganhei muito dinheiro. Meu pai ficou muito feliz e ainda mais orgulhoso de mim do que nunca.

Quando meu pai faleceu, aos 93 anos, deixou uma herança para os filhos. À época eu já havia consolidado uma empresa enorme e de renome internacional. Depois de a família ter dividido os bens e pago os impostos sobre a herança, o dinheiro que herdei — em relação ao que eu havia construído — não era muito relevante. Bom ganhar, mas não um fator de enriquecimento. O que meu pai me deixou, muito mais importante, foram os melhores "genes" que qualquer um poderia ter. Ele era um homem e um pai especial.

Vamos revisar o placar conservador e conferir minhas pontuações:

Sistema de saúde acessível? Eis aqui minha palavra — e jamais volto atrás na minha palavra: o *Obamacare* precisa ser repelido no menor prazo possível — e substituído por algo muito melhor.

Reforma da imigração? Existe alguém mais líder nesse tópico do que eu? Meu plano é simples: construímos um muro e retomamos o controle de nosso país. Aplicação extensiva da lei nas fronteiras. Os imigrantes legais devem falar ou aprender inglês; sem isso, jamais conseguem se integrar.

Bebês âncoras? Estão aqui há um dia, e a criança é habilitada a uma vida de benefícios enquanto outros levaram a vida inteira para ganhá-los. Isso precisa acabar!

O acordo com o Irã? Não podemos permitir que o Irã construa uma arma nuclear. Isso não é uma ameaça. É uma declaração de fato. Devemos prestar atenção tanto em nossos aliados como nos inimigos.

A 2ª Emenda? Acredito que os direitos dos proprietários de armas que se submetem à lei devem ser inteiramente protegidos.

Defesa da liberdade religiosa? Acredito que a liberdade religiosa é o direito constitucional mais fundamental e deve ser protegido.

Reparar nosso sistema fiscal defeituoso? Não há nenhum político que entenda nosso sistema tributário como eu. Ele deve ser alterado para ser justo com todos os americanos — e simplificado.

Sou um conservador ferrenho e orgulhoso. A maior diferença entre eu e todos os políticos que não fazem nada e que são muito papo e nenhuma ação? Essas pessoas que afirmam constantemente que são mais conservadoras do que qualquer outra? Eu não falo sobre as coisas, eu faço as coisas.

Estou me posicionando por esse país porque nossos chamados líderes não foram capazes de fazê-lo. Assim, da próxima vez que uma pessoa questionar minhas credenciais conservadoras, mostre-lhe essa lista.

10

★ ★ ★

SORTE DE SER AMERICANO

EU SEI A SORTE QUE TENHO. No dia em que nasci, já ganhei a maior loteria da terra. Nasci nos Estados Unidos da América. Com isso vieram as maravilhosas oportunidades que todo cidadão americano possui: o direito de se tornar a melhor pessoa possível. O direito de ser tratado igual a todos os outros americanos. O direito de falar livremente (e, a propósito, levo esse direito *muito* a sério). O direito de praticar a religião de sua escolha da forma que escolher. O direito de realizar tanto quanto seu trabalho duro e seu talento permitirem. O direito de estar seguro em sua casa graças às maiores agências de aplicação de leis existentes, e o privilégio de criar sua família sabendo que está protegido pelas melhores forças armadas do mundo.

Penso que meus pais devem ter sabido quanto orgulho de ser americano eu teria: nasci no Dia da Bandeira, 14 de junho!

Direi quanto orgulho eu tenho de ser americano. Você talvez tenha ouvido falar que tenho uma casa em Palm Beach, Flórida. Ela é chamada Mar-a-Lago, que significa "do mar ao lago", e possui 128 quartos. Está listada no National Historic Landmark porque é uma das casas mais bonitas já construídas. Foi erguida por E. F. Hutton e sua esposa, Marjorie Merryweather Post, em 1927.

O terreno que ela ocupa são supostamente os 20 acres mais valiosos da Flórida. Após comprá-la, quis que as pessoas soubessem o quanto sou orgulhoso e grato por ser americano, de modo que decidi hastear uma bandeira americana na frente de minha casa, uma bandeira americana que não pudesse passar despercebida, uma bandeira adequada a essa linda casa.

Assim, hasteei uma bandeira extragrande, de 4,5 metros por 5,5 metros, em um mastro de 25 metros de altura.

Observar essa bandeira apanhar o vento e tremular orgulhosamente era uma visão maravilhosa. Só que a cidade de Palm Beach decidiu que minha bandeira era grande demais. Alegaram que ela excedia as regulamentações da lei do zoneamento. Quem poderia saber que existe uma legislação regulamentando o tamanho da bandeira que você tem permissão de hastear? Quando educadamente informei-os de que não tinha a intenção de arriar minha bandeira americana, começaram a me multar em US$ 250 por dia até que eu a removesse.

À época eu disse: "A câmara legislativa de Palm Beach deve ter vergonha de si mesma. Estão me multando porque hasteei uma bandeira americana. O dia em que for preciso uma licença para içar uma bandeira americana será um dia muito triste para este país".

Suponho que você saiba o que fiz em seguida. Entrei com um processo contra a cidade pedindo uma indenização de US$ 25 milhões, alegando que meus direitos concedidos pela 1ª, 8ª e 14ª emendas estavam sendo violados. Como escrevemos no processo: "Uma bandeira e um mastro menores em Mar-a-Lago ficariam perdidos dado o formidável tamanho da propriedade, parecendo algo tolo em vez de ser uma declaração, e, mais importante ainda, deixariam de expressar apropriadamente a magnitude do patriotismo de Donald J. Trump e dos membros do clube".

As multas totalizavam US$ 120 mil à época em que tivemos de negociar um acordo com a cidade. Em vez de pagar a multa, doei US$ 100 mil para uma sociedade beneficente dos veteranos da Guerra do Iraque.

Na realidade, pensei que a questão estivesse resolvida, mas em 2014 a cidade de Rancho Palos Verdes, na Califórnia, quis que eu diminuísse o mastro de 21 metros de altura que pairava sobre meu campo de golfe no Oceano Pacífico. Um dos vereadores que queria que eu baixasse o mastro admitiu: "Essa bandeira agora se tornou um símbolo e, para as pessoas dessa comunidade, simboliza o patriotismo". Com isso, vencemos essa batalha!

Como todos nós sabemos, a bandeira é muito mais do que um retângulo de pano vermelho, branco e azul. É um símbolo para mim, para você e para as pessoas mundo afora. Representa a igualdade, esperança e justiça. Representa grande coragem e sacrifício.

Todos já me ouviram falar do nosso problema da imigração. Bem, há uma razão importante para as pessoas estarem dispostas a arriscar a vida para entrar nesse país. Em 2015, mais de 4,4 milhões de pessoas tinham se candidatado e esperavam para emigrar legalmente para os Estados Unidos — essa lista inclui até mesmo mais de 50 mil iranianos. Para pessoas oriundas de alguns países, o período estimado de espera é de 33 anos. Também temos algo entre 12 e 15 milhões de pessoas legalmente aqui no país com *green cards* ou vistos temporários. Ninguém sabe quantos imigrantes ilegais estão aqui, mas a estimativa usual é de mais de 11 milhões de pessoas.

Nos últimos anos, observei que a situação está mudando. Como a maioria de vocês, não gosto do que está acontecendo. Chuck Todd, do *Meet the Press*, perguntou quando foi a última vez que achei que a América havia se mostrado à altura de sua promessa. Respondi que durante a administração de Ronald Reagan. Foi uma época em que sentíamos muito orgulho de ser americanos.

Passei toda a minha carreira me posicionando a favor desse país. Há um articulista de um site conservador que não gosta nada de mim. Eu entendo — todas essas pessoas têm seus políticos favoritos. Mas, mesmo enquanto me chamava de alguns nomes desagradáveis, ele escreveu: "E digam-me: por que Donald Trump é (...) o único candidato que está disposto a afirmar sem ambiguidades que o primeiro dever dos políticos americanos é para com os cidadãos americanos? Aqueles que discordam fariam a gentileza de nos fornecer uma lista de suas prioridades, mostrando-nos exatamente onde pensam que os cidadãos americanos se enquadram?".

Acredito em priorizar sempre os interesses dos cidadãos americanos — sempre. Não existe segundo ou terceiro lugar. Esse nível de comprometimento é o que está faltando há muito tempo em nossa política externa, nossa política comercial e nossa política de imigração. Em algum ponto, começamos a nos preocupar demais com o que os outros países pensavam de nós. Alguém que esteja lendo este livro acredita que eu esteja preocupado em fazer outros países se sentirem bem? Eles costumavam ter medo de nós. Costumavam querer ser o que somos. Éramos respeitados.

Há muitos anos, minha filha Ivanka viajou para a então Tchecoslováquia para visitar a família de sua mãe. Naquela época, tratava-se de um país comunista. Ela contou que os tchecos colavam cédulas americanas no para-brisa dos carros, mesmo que fosse uma nota de apenas um dólar, para mostrar como tinham orgulho de ter qualquer item da América. Até uma nota de um dólar — queriam apenas uma associação com a América. Hoje? Estão dando risada de nós. Existe uma expressão que, infelizmente, é muito pouco ouvida agora: "Fabricado nos EUA". Começaremos a dizer isso novamente — aos montes. Nós somos únicos. Caso haja alguma dúvida, é exatamente nisso que acredito.

Uma forma pela qual sempre mostrei meu patriotismo foi apoiando firmemente nossas forças armadas. Não temos feito um bom trabalho nessa área ultimamente, mas isso precisa mudar. Nossas forças armadas devem ter todo o contingente e as ferramentas de que necessitem para cumprir qualquer missão. Gosto de dizer que nossas forças armadas devem ser tão fortes que jamais teremos de utilizá-las.

Fiquei absolutamente horrorizado ao descobrir que estávamos enviando nossos soldados para situações de combate sem a melhor proteção disponível. Não faz muito tempo, os pais estavam angariando dinheiro para comprar proteção adicional e enviar para seus filhos em combate. Não pude acreditar. Devemos fazer essa promessa a nossos combatentes: nenhum americano jamais deverá ir a campo a menos que tenha o melhor equipamento disponível e tanto quanto seja necessário. E, quando nossos soldados voltarem para casa, vamos cuidar muito bem deles. Eles terão a assistência médica que merecem. Serão respeitados por seu serviço. O modo como tratamos nossos veteranos hoje em dia é uma vergonha, e isso tem de mudar.

Diferentemente de um grande número de políticos, meu envolvimento ativo com nossos veteranos começou há mais de duas décadas, quando apenas cerca de uma centena de espectadores compareceu para assistir ao desfile anual do Dia dos Veteranos em Nova York. Naquela ocasião, o país estava celebrando o 50º aniversário do fim da Segunda Guerra Mundial.

Cem espectadores? Humilhante. Um insulto àqueles homens e mulheres que tinham literalmente salvo o mundo para a democracia. Cem pessoas.

O prefeito Rudy Giulani e eu decidimos fazer algo a respeito. Doei um subsídio de um milhão de dólares para financiar um segundo desfile. Em 11 de novembro, desci pela Quinta Avenida com 25 mil veteranos, muitos deles usando seus uniformes, e um público estimado em 1,4 milhão de espectadores saudou-os. Aquele desfile foi digno do sacrifício feito por eles e foi um dos maiores de Nova York.

Um mês depois, fui homenageado no Pentágono com um almoço na presença do secretário da Defesa e de todo o Estado-Maior. Desde aquela época apoio ativamente as causas dos veteranos e contrato veteranos em todos os setores de minha organização.

Atualmente, a maior crise que nossos veteranos enfrentam é na assistência médica que lhes foi prometida. Temos rapazes e moças que voltaram do Iraque e do Afeganistão e tiveram de lutar para conseguir o tratamento necessário e prometido. Fizemos um contrato com todos nossos veteranos e não estamos cumprindo. Como podemos falar do quanto amamos esse país se não estamos cuidando das pessoas que nos protegem? Em setembro, eu disse que precisamos desmontar o sistema existente. Precisamos criar um sistema inteiramente novo. Temos de fazer isso, e ele funcionará.

O Departament of Veterans Affairs (VA) é provavelmente a agência com a gestão mais incompetente do governo dos Estados Unidos. E isso é dizer algo. Se fosse uma de minhas empresas, os gestores teriam sido demitidos há muito tempo. O problema é que tem muita gente da política envolvida em sua operação. É espantoso que, em muitos casos, imigrantes ilegais sejam mais bem tratados que nossos veteranos. Os contribuintes pagam mais de US$ 150 bilhões ao ano para o VA, e o que obtemos de volta?

O *Las Vegas Review-Journal* resumiu corretamente em 2014, dizendo: “O Department of Veteran Affairs finalmente está sob investigação rigorosa por suas listas de espera falsas e pelos atrasos inconcebíveis nos tratamentos, que provocaram um número incalculável de mortes evitáveis de pacientes. No entanto, novas informações revelam que a prevaricação, a malversação e a franca corrupção no VA são piores do que os americanos poderiam imaginar — muito piores.”

Isso precisa acabar. Nesse momento, o VA é administrado por gente que não sabe o que faz. Estão obtendo mais dinheiro do governo do que nunca, e, no entanto, a assistência piorou. A lista de homens e mulheres à espera de astendimento está aumentando, e o tempo de espera é mais longo. Como o VA pode ser tão ineficiente? Precisamos colocar pessoal que saiba como comandar grandes operações. Temos de pegar os melhores gestores e dar poder, dinheiro e as ferramentas para fazerem o trabalho. Não devemos nada menos que isso aos veteranos.

De uma forma ou de outra, vamos cuidar de nossos veteranos. Se os hospitais do VA não conseguem dar conta, então os veteranos irão a médicos particulares, hospitais particulares. O governo reembolsará esses médicos e esses hospitais, pois devemos cumprir nossa obrigação para com nossos veteranos.

Finalmente, empregos: que tipo de país envia seus jovens para lutar por ele e então, quando voltam, diz: "Desculpe, mas, enquanto vocês estavam fora, outras pessoas pegaram todos os empregos"?

Conseguir um bom emprego é difícil, mas é ainda mais difícil para um veterano. Um número demasiado de veteranos depara-se lutando para encontrar uma oportunidade. Eles estiveram fora do mercado de trabalho, geralmente por vários anos. Assim, precisamos de um programa que reconheça os sacrifícios que eles fizeram por todos nós e que os reinsira diretamente no mercado de trabalho.

Ter nascido neste país é uma questão de sorte. Ser grato e orgulhoso por este país e pelo que ele representa e reverenciar as pessoas que o protegem é um privilégio, e sinto orgulho de compartilhar isso com todos os americanos.

11

★ ★ ★

O DIREITO DE PORTAR ARMAS

A 2ª EMENDA é clara para mim: "Uma Milícia bem regulada, necessária para a segurança de um Estado livre, o direito de as pessoas terem e portarem Armas não deverá ser infringido".

Ponto.

O fato de os Pais Fundadores fazerem disso a 2ª Emenda, atrás apenas de nossa liberdade de expressão, religião, imprensa, do direito de reunião e de petição ao governo da 1ª Emenda, demonstra que eles entenderam como o direito de portar armas seria importante para todos os americanos.

James Madison ressaltou que esse direito era uma proteção histórica única quando disse que a Constituição preserva "a vantagem de estar armado, que os americanos possuem sobre o povo de qualquer outra nação... [onde] os governos receiam confiar em pessoas armadas."

Todos nós desfrutamos desse direito fundamental a fim de defender a nós e a nossas famílias. Os Pais Fundadores sabiam que isso era essencial para uma sociedade livre e aprovaram essa emenda para garantir que o governo jamais pudesse retirá-la (ou nossas armas). Ao longo da história, temos visto governos opressivos consolidar e assegurar seu controle sobre o povo, retirando os meios necessários para que os cidadãos se defendam.

Eu possuo armas. Felizmente, jamais tive que usá-las, mas, acredite, me sinto muito mais seguro sabendo que estão ali.

Também possuo uma licença para o porte oculto de arma, que me permite portar uma arma escondida.

Dispendi tempo e esforço para tirar essa licença porque o direito constitucional de se defender não para no final da entrada da garagem de casa. Tampouco se aplica apenas a mim. Aplica-se a todas as entradas de garagem ou portas da frente.

Por isso sou tão favorável a tornar todas as licenças para o transporte de armas escondidas válidas em todos os estados.

Cada estado tem seu próprio teste de motorista no qual os residentes precisam passar antes de serem habilitados a dirigir. Esses testes são diferentes em muitos estados, mas, assim que um estado habilita você a dirigir, todos os outros reconhecem essa licença como válida.

Se podemos fazer isso para dirigir um carro — o que é um privilégio, não um direito —, então certamente podemos fazer isso para o porte oculto, que é um direito, não um privilégio. Parece lógico para mim.

A 2ª Emenda está sob ataque faz muito tempo. Ao longo dos anos, os governos estaduais limitaram-na, acrescentando restrições. Nenhum outro direito na Carta de Direitos tem sido atacado com tanta frequência como a 2ª Emenda. Algumas restrições obviamente fazem sentido. Por exemplo, criminosos e doentes mentais não devem ter acesso a armas.

O objetivo de uma arma, entre outras coisas, é oferecer proteção, avisar àquelas pessoas que tentariam nos fazer mal que estamos carregando uma arma e a usaremos.

A fim de proteger a 2ª Emenda, existem diversas medidas significativas que precisamos tomar. O mais importante é que precisamos começar a levar a sério o processo judicial de criminosos violentos. Às vezes me parece que a administração Obama fez apenas um esforço simbólico para retirar criminosos violentos de nossas ruas.

O problema é aumentado pela pressão imposta aos departamentos de polícia por organizações comunitárias que querem fazer com que os policiais cumpram suas funções com uma mão atada às costas.

Os crimes violentos nas zonas centrais de nossas cidades estão fora de controle. Há muito mais membros de gangues e narcotraficantes experientes envolvidos repetidas vezes em assaltos e assassinatos com atiradores em carros. Devemos tirá-los das ruas para que não continuem a aterrorizar seus bairros e arruinar mais vidas.

Apresento a seguir um exemplo do que pode funcionar. Em 1997, foi implantado um programa denominado *Project Exile* em Richmond, Virgínia. Ele ordenava que, se um criminoso fosse apanhado cometendo um delito com arma, tinha de ser julgado em um tribunal federal e não municipal ou estadual. Se condenado, havia uma sentença mínima obrigatória de cinco anos em uma prisão federal sem benefício de condicional ou de libertação prévia.

Esse era um programa bastante sensato apoiado pela NRA e pela Brady Campaign, patrocinadoras do projeto de lei Brady, que lutaram pela posse restrita de armas.

O Project Exile foi posto em vigor e funcionou. Uma mensagem foi exibida em cartazes por toda a cidade: "Uma arma ilegal sentencia você a cinco anos numa prisão federal". No primeiro ano, o número de homicídios e roubos com armas de fogo diminuiu em cerca de um terço, e 350 criminosos armados foram tirados das ruas.

Uma década depois, quando os elementos básicos do programa foram complementados por uma lei estadual de certo modo mais leniente, o número de homicídios na cidade ainda havia sido reduzido em mais da metade.

Por que é tão importante permitir a posse de armas a cidadãos cumpridores das leis? Primeiro de tudo, isso oferece uma abordagem inteligente para a redução dos crimes, algo que todos nós queremos. Segundo, mostra que as armas não são o problema — criminosos instáveis e perigosos são o problema.

O lobby antiarmas ainda parece confuso com essa distinção.

Não precisamos manter as armas longe das mãos dos cidadãos que cumprem as leis. Precisamos cair em cima dos criminosos de carreira que traficam armas ilegalmente. Programas como o Project Exile ajudam a tornar nossas comunidades mais seguras.

Outra forma importante de combater o crime é criar um ambiente em que os agentes da lei sejam apreciados por todo o ótimo trabalho que fazem, em vez de serem isolados ou criticados em razão dos poucos maus policiais que mancham o nome da polícia. Compreendo — e lamento profundamente — aquelas situações em que um policial atuou pessimamente sob pressão, usando força desnecessária.

Esses incidentes sempre atraem muito mais atenção do que o trabalho exemplar da polícia que ocorre dia após dia.

Vamos ser claros sobre uma coisa: nossa polícia faz um trabalho maravilhoso ao lidar com situações potencialmente explosivas que enfrentam no dia a dia. Sabemos, por exemplo, que a maioria dos crimes é cometida localmente, dentro de uma comunidade ou casa, em que uma mera discussão pode escalar em raiva e ação violentas.

Quem é chamado nessas situações? A polícia, é claro. É sua função correr até o local e acalmar as coisas. Ela protege os moradores da comunidade dos criminosos em seu meio. Os detetives têm de coletar os indícios quando ocorre um assalto ou assassinato. Nossos policiais são muito profissionais e bem-treinados.

Definitivamente, nossa proteção pessoal e de nossa família é de nossa própria responsabilidade. Eu sei disso. Temos de ficar alertas e comunicar a presença de estranhos ou de pacotes suspeitos. Temos de criar comitês comunitários que possam trabalhar em conjunto e não com "pegadinhas" ao lidar com as autoridades locais. Como parentes e amigos, temos de estar vigilantes quando alguém próximo de nós de repente exibe sinais de depressão ou de comportamento errático enquanto posta mensagens ameaçadoras nas redes sociais.

Temos também o direito de nos proteger com a posse de armas. isso é tão fundamental quanto escolher nosso tipo de fé religiosa ou permitir que a imprensa critique nosso governo.

O que é tolo e desnecessário são as críticas da mídia, que imediatamente vincula um crime de grande repercussão à arma e não ao criminoso.

Há uma série de etapas que podem ser empreendidas para beneficiar todos os americanos, incluindo os milhões de donos de armas cumpridores das leis, bem como aqueles que acreditam equivocadamente que as armas são as causas de nossos problemas criminais.

Temos de manter as armas fora do alcance de pessoas com problemas mentais. Não é certo pessoas com problemas mentais conseguirem armas. Todos nós concordamos e temos de impedir isso, mas há alguns grandes obstáculos.

Vamos lidar com a realidade: nosso sistema de saúde mental está falido e precisa ser reparado. Os políticos têm ignorado essa questão porque é um problema muito complexo e poderá custar muito dinheiro.

Mas o fato é que precisamos repará-lo imediatamente.

Vários dos assassinatos em massa que ocorreram nos últimos anos neste país têm um fato gritante em comum: houve alertas que foram ignorados e sinais de aviso sobre os futuros "assassinos" que também foram ignorados. Pais e amigos próximos, mesmo amigos do Facebook, preferiram não dizer nada ou desviar o olhar. Negação não é um comportamento responsável.

A maioria das pessoas com problemas mentais não é violenta; apenas precisa de ajuda. Temos de investir dinheiro e recursos para expandir programas de tratamento que possam oferecer essa ajuda. No entanto, há pessoas que são violentas. Elas são um perigo para a comunidade e um perigo para si mesmas.

Há pessoas que devem ser encaminhadas a instituições e não viver nas ruas. Os juízes dizem que elas têm direitos, o que é verdade, é claro. Elas têm direitos até o ponto em que se tornam perigosas para terceiros ou para si mesmas. Aí a situação muda. Aí temos de proteger os direitos de crianças pequenas irem inocentemente para a escola ou de famílias saírem à noite para relaxar num cinema.

Por que isso é tão importante para os proprietários de armas que seguem a lei? Pelo fato de serem os cidadãos que os movimentos antiarmas e a mídia culpam quando um louco desvairado usa uma arma para cometer um ato horroroso. Quando acontece uma dessas tragédias, pode estar certo de que ocorrerão duas coisas. Primeiro, os oponentes do direito ao porte de armas imediatamente explorarão a situação para empurrar sua agenda antiarmas, e, segundo, nenhuma das restrições propostas teria evitado a ocorrência da tragédia.

Precisamos de soluções reais para resolver problemas reais. Não precisamos de defensores de restrições inúteis de armas tirando vantagem de situações emocionais para forçar suas agendas.

Assim, como conseguimos proteger e estender os direitos de portadores de armas cumpridores da lei? Conseguimos isso instruindo todos os americanos sobre os fatos. Por exemplo, houve uma longa e cara campanha para encontrarmos diferentes meios de banir armas ou seus acessórios. De fato, para simplesmente nos livrarmos das armas. Essa é a resposta que os defensores do controle de armas dão.

Essa tática é um beco sem saída.

Os oponentes do direito do porte de armas geralmente usam uma porção de frases descritivas assustadoras quando propõem leis contrárias a vários tipos de armas. Proíbam "armas de assalto", dizem eles, ou "armas de estilo militar", ou "carregadores de alta capacidade".

Tudo isso soa um pouco assustador até você entender que na realidade estão falando de rifles semiautomáticos comuns, populares, e de carregadores-padrão possuídos e utilizados por dezenas de milhões de americanos.

Preocupa-me quando nossos legisladores de políticas sociais, na busca de uma "causa", implicam com as armas. A Suprema Corte já deixou bem claro que o governo simplesmente não tem competência e, de fato, o direito de ditar aos donos de armas que tipos de armas de fogo os americanos idôneos podem ter. Os proprietários de armas devem poder comprar o melhor tipo de arma para suas necessidades, seja autoproteção, tiro esportivo ou qualquer outro propósito.

Houve muita especulação sobre os exames de históricos, como se pesquisar o histórico de alguém tentando comprar uma arma legalmente iria de alguma forma manter as armas longe das mãos de criminosos. O sistema de supervisão nacional de históricos está implantado desde 1998. Cada vez que uma arma é comprada de um fornecedor de armas licenciado pelo governo federal, que é como a maioria das compras de arma ocorre, é preciso passar por uma supervisão nacional do histórico.

Infelizmente, como esperado, a adoção de uma maior regulamentação governamental na situação tem conseguido muito pouco resultado. O principal "benefício" tem sido dificultar a compra de armas por americanos idôneos. Uma série de estudos tem provado que poucos criminosos são suficientemente estúpidos para tentar passar por uma verificação de histórico ou ter o nome registrado em qualquer tipo de sistema.

Assim, eles conseguem armas da mesma forma que os bandidos sempre conseguiram armas — roubando ou comprando de uma fonte não licenciada, ou pegando com familiares ou amigos.

Esse sistema é outro exemplo de regulamentação federal que se tornou um fracasso retumbante. Quando o sistema foi implantado, prometeu-se aos proprietários de armas de que ele seria instantâneo, preciso e justo. Não foi nada disso que aconteceu.

Uma ressalva final: precisamos deixar que nossos militares portem armas de fogo em suas bases e centros de recrutamento. Como vimos, nossas diretrizes atuais deixam os militares — e seus familiares —

indefesos em suas próprias bases. Eles podem ser alvos fáceis para um tresloucado com uma metralhadora.

Por fim, devemos entender e apreciar por que o direito de manter e portar armas é tão fundamental para os cidadãos idôneos. E devemos reconhecer que as medidas burocráticas propostas para infringir esse direito são um tremendo desperdício e possível perigo para todos nós. Meus filhos Donald e Eric são membros da NRA — assim como eu — e se orgulham disso!

12

★ ★ ★

NOSSA INFRAESTRUTURA ESTÁ COLAPSANDO

ALGUMAS COISAS SÃO tão óbvias que até Joe Biden consegue vê-las.

Considere, por exemplo, o estado da infraestrutura de nosso país. O vice-presidente Biden disse no passado: "Se eu colocasse uma venda em alguém, levasse-o às duas da manhã até o aeroporto de Hong Kong e dissesse: 'Onde você pensa que está?', ele responderia: 'Deve ser na América. É um aeroporto moderno'. Mas, se eu vendasse você e o levasse até o aeroporto La Guardia, em Nova York, você pensaria: 'Devo estar em algum país do terceiro mundo'".

A boa notícia é que a London Bridge não está caindo. Mas essa ponte, localizada em Lake Havasu City, Arizona, talvez seja a única ponte da América que não esteja sob risco de cair.

Nossos aeroportos, pontes, túneis fluviais, redes elétricas, sistemas ferroviários — toda a infraestrutura de nossa nação — estão colapsando, e não estamos fazendo nada a respeito. O ex-secretário de transporte Ray LaHood sabe de tudo isso e acertou na mosca quando disse: "Se queremos ter sistemas de transporte seguros nos EUA, é preciso investir. Não temos feito isso".

Ele descreveu nosso jeito de lidar com esse problema como o sistema do "aos trancos e barrancos". "Não há visão. Nem liderança em Washington para tratar dos consertos, e estão tentando colocar band-aids, fita adesiva e outras coisas nos consertos, e isso simplesmente não funciona."

A infraestrutura do país está caindo aos pedaços. De acordo com engenheiros, uma em cada nove pontes neste país apresenta deficiências estruturais, aproximadamente um quarto delas já está obsoleta em termos funcionais, e praticamente um terço excedeu a vida útil projetada.

Algumas dessas pontes já colapsaram. Barry LePatner, que escreveu um livro sobre o assunto, disse o seguinte: "Desde 1989, tivemos mais de 600 falhas em pontes nesse país, e... um grande número de pontes, em todos os estados, são realmente um risco para os usuários".

Nossa infraestrutura está horrível e só piora e fica cada vez mais cara de reparar. Calcula-se que isso já custe ao povo americano US$ 200 bilhões ao ano em diminuição da produtividade. Esse número aumenta anualmente. Em vez de estarem no escritório ou na fábrica fazendo seu trabalho, os americanos perdem incontáveis horas todos os dias presos em engarrafamentos de trânsito ou esperando trens paralisados. Dependemos dos motoristas de caminhão para a entrega dos itens de que precisamos, e eles acabam desperdiçando uma quantidade inacreditável de tempo por causa da deterioração de nosso sistema rodoviário.

Eu costumava pensar que os congestionamentos de trânsito em Nova York eram os piores do país; atualmente, não chegam nem perto disso. Há problemas por toda parte. Nossas estradas estão corroídas de buracos. Nossos aeroportos? Fala sério. Uma desgraça.

Quando Joe Biden vê isso, você sabe que a situação está péssima.

Se você aterrissa no LaGuardia, parece que os trens de pouso do avião se soltaram.

Viajo de avião da China ou Catar e é como se viesse de um mundo diferente. Não é apenas o LaGuardia, que, a propósito, enfim está recebendo bilhões de dólares para a reconstrução; este é um problema de costa a costa. O Aeroporto Internacional de Los Angeles é outro tipo completamente diferente de desastre.

Nossa rede de energia, a infraestrutura para a eletricidade que mantém tudo operando, está obsoleta. É simplesmente impossível que consiga atender às nossas necessidades energéticas no futuro. Nosso acesso de alta velocidade à internet é apenas o 16º melhor do mundo. Quando viajo para o exterior, vejo lugares magníficos que você não acreditaria. Vejo pontes, túneis e aeroportos cuidados de forma apropriada. Vejo ótimas rodovias e redes de energia incrivelmente eficientes.

Então volto para casa e fico preso num engarrafamento, e, quando o carro anda, sofre solavancos com os buracos. Isso nunca parece melhorar.

Me pergunto: por que esses problemas não podem ser resolvidos? A resposta é que as pessoas que incumbimos dessas tarefas não sabem como repará-los.

Gastamos bilhões de dólares protegendo países que deveriam estar nos pagando pelo serviço, todavia não conseguimos construir rodovias em nossas próprias cidades. Não conseguimos construir escolas em nossas próprias comunidades. Fui para a China diversas vezes e lá, para onde quer que se olhe, há guindastes erguendo-se aos céus. Os chineses constroem novas cidades em cerca de 12 minutos, enquanto nós levamos anos para obter a licença para acrescentar uma água-furtada em nossa própria casa.

O Fórum Econômico Mundial classifica a infraestrutura dos EUA apenas como a 12ª do mundo, atrás de países como Espanha, Holanda e Emirados Árabes Unidos. Parte do motivo é que não gastamos o suficiente para reparar, construir ou manter nossa "planta". Europa e

China gastam até 9% do PIB em obras de infraestrutura. Nós gastamos 2,4%.

Quando se fala em construção, melhor falar em Trump. Não há um único construtor neste país que tenha seu nome em uma série tão grande de projetos como os que eu construí.

A cidade de Nova York desperdiçou sete anos tentando fazer um rinque de patinação. Consegui concluí-lo em menos de quatro meses — e abaixo do orçamento. Havia um imenso pátio ferroviário com vista para o rio Hudson que ninguém conseguia descobrir como modernizar. Vá de carro até lá agora e você verá milhares de lindos apartamentos, todos com o mesmo nome nos prédios — Trump.

Pense no endereço 40 Wall Street, um dos edifícios mais formidáveis da cidade. Por um breve período, juntamente com o edifício da Chrysler, foi um dos dois prédios mais altos do mundo. Mas degradou-se pela falta de manutenção. Foi terrível. Não conseguiam alugar as salas de escritório.

Comprei o 40 Wall Street e o refiz totalmente. Agora, é um clássico — e, a propósito, 100% alugado, um prédio muito rentável. Minha casa em Palm Beach, Mar-a-Lago, foi no passado a maior mansão do país, mas seu dono anterior, o governo dos Estados Unidos, deixou-a se deteriorar. Ninguém teve a visão do que ela poderia ser outra vez. Eu a reformei, reconstruí e agora — acesse a internet e poderá ver o que realizei ali. Resgatamos a grandeza da propriedade — e a melhoramos!

O mesmo pode ser válido para o nosso país.

Em Washington, D.C., estou convertendo o antigo prédio dos correios, na Pennsylvania Avenue, em um dos melhores hotéis do mundo. Comprei esse edifício da General Services Administration (GSA). Muita gente desejava comprá-lo, mas a GSA quis assegurar que a venda fosse feita para alguém que tivesse a habilidade de transformá-lo em algo especial, por isso vendeu para mim. Consegui por quatro motivos. Número 1 — somos realmente bons. Número 2

— tínhamos um plano realmente ótimo. Número 3 — tínhamos uma ótima ficha financeira. Número 4 — somos EXCELENTES, não apenas bons, ao cumprir ou mesmo superar nossos contratos. A GSA, que tem verdadeiros profissionais, viu isso desde o início.

É assim que o país deve ser administrado.

Reparar nossa infraestrutura será um dos maiores projetos que este país já empreendeu. Não haverá uma segunda chance de acertar. Deixe-me perguntar: se a sua casa estivesse desabando e você tivesse de contratar um empreiteiro para repará-la antes que colapsasse por completo, quem você contrataria? Um cara que diz o que está planejando fazer, ou um cara que provou o que pode fazer incontáveis vezes antes?

Na América, nossa casa está caindo. Desenvolvi projetos vez após vez, em numerosas ocasiões. Levanto o dinheiro, resolvo problemas infindáveis, contrato as pessoas certas e faço. Essas são as palavras que os políticos não conseguem usar: *eu faço*.

Não há dúvida de que temos de descobrir um jeito de lidar com nossos problemas de infraestrutura se quisermos ser a maior economia do mundo. Nossa economia exige movimento, literal e figurativamente, e precisamos de uma estrutura que consiga apoiar e promover esse movimento.

Quando está se preparando para começar o maior projeto de construção de longo prazo da história americana, é preferível ter a pessoa certa no comando. É necessário alguém que já fez isso antes e não se intimide ao assumir essa tremenda responsabilidade. É necessário alguém que saiba lidar com sindicatos e fornecedores e, sem dúvida, advogados. Lido com todos eles todos os dias e não perco para eles.

Diferentes pessoas podem abordar problemas complexos como esse de diferentes maneiras. Tem gente que examina um problema como esse e balança a cabeça, pensando que não pode ser resolvido. Há um nome para gente assim: governador. Depois tem gente que fala do assunto, esbanja o dinheiro dos outros e talvez nem mesmo mostre os projetos. Tem um nome para gente assim também: senador.

Para mim, consertar a infraestrutura do país seria um projeto de máxima prioridade. Eu estava discursando para milhares de pessoas em New Hampshire quando um rapaz bacana me perguntou o que eu achava do projeto para enviar pessoas a Marte.

"Acho maravilhoso", disse a ele. "Mas primeiro quero reconstruir nossa infraestrutura na Terra, certo?" Quer dizer, não entendo como podemos levar um homem à Lua, mas não conseguimos fechar os buracos da rodovia para o Aeroporto Internacional O'Hare.

Onde estão nossas prioridades?

Antes de construirmos pontes para Marte, vamos garantir que as pontes sobre o rio Mississippi não caiam.

Adoro desafios difíceis. Ninguém responde melhor que eu quando dizem que algo não pode ser feito. O que outras pessoas veem como um problema terrível vejo como uma grande oportunidade. Não há nada, absolutamente nada, que estimule a economia tanto quanto a construção.

Há poucos anos, a Moody's, agência de investimentos financeiros, calculou que cada US$ 1 do dinheiro federal investido na melhoria de rodovias e escolas públicas geraria US$ 1,44 de retorno para a economia. O Departamento Orçamentário do Congresso afirmou que os investimentos em infraestrutura têm um dos impactos econômicos diretos mais fortes.

Sabe por quê? Empregos.

Esses projetos colocam pessoas a trabalhar — não apenas as que executam o trabalho, mas também fabricantes, fornecedores, projetistas, e, sim, até os advogados. O Comitê Orçamentário do Senado estima que a reconstrução da América criará 13 milhões de empregos.

Nossa economia precisa de mais vagas de trabalho. Sei qual é a suposta taxa de desemprego, mas também sei que o coelho da Páscoa

Minha maravilhosa família.

Na minha confirmação — Primeira Igreja Presbiteriana, Jamaica, Nova York. Estou na fileira de cima, o segundo à direita.

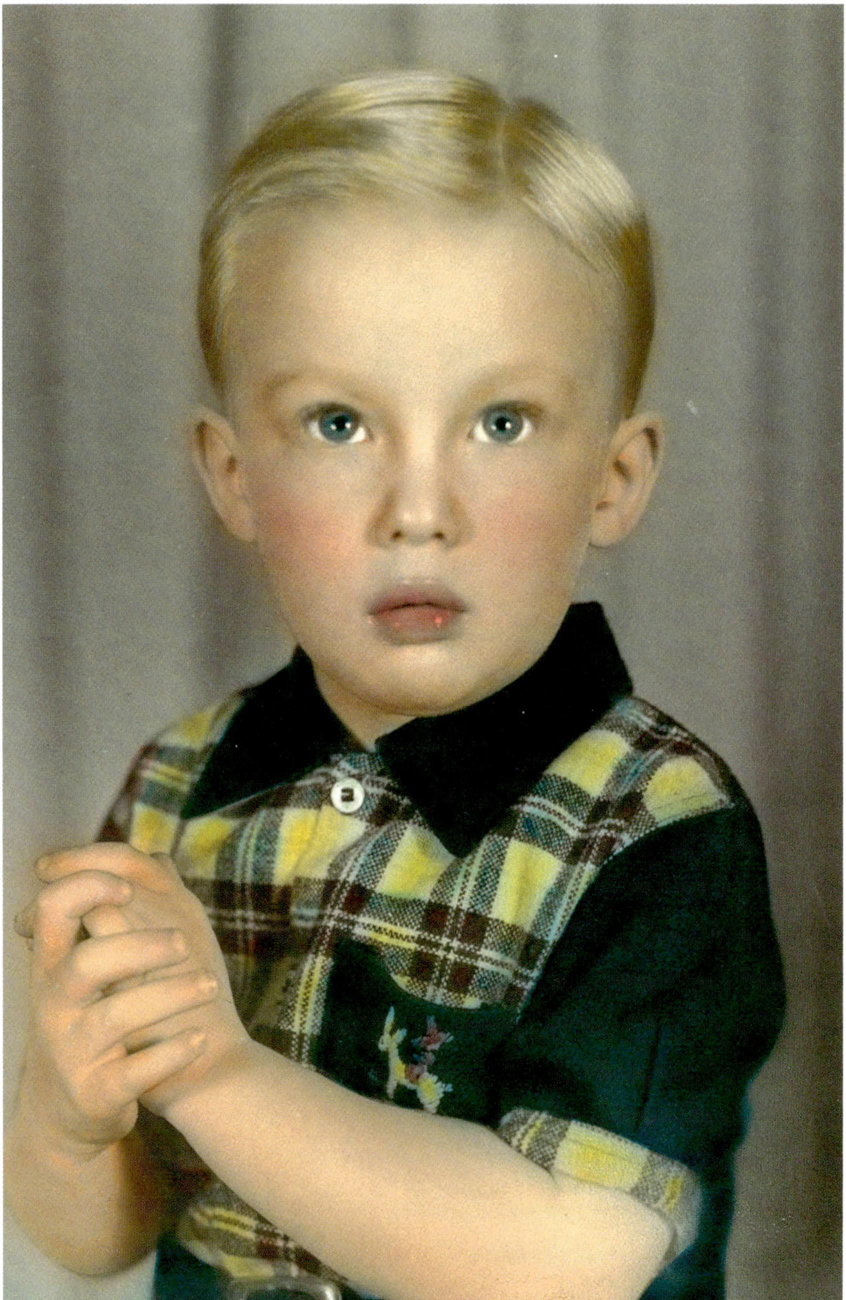

Quando garotinho.

Meu pai e minha mãe, Fred e Mary, em minha formatura
na Academia Militar de Nova York.

Dançando com minha filha Tiffany em Mar-a-Lago.

Com Ivanka, Don e Eric.

Trump International Hotel, na Pennsylvania Avenue, em Washington D.C., em construção. Este edifício era o antigo prédio dos correios.

O Trump Building, no 40 Wall Street,
em frente à Bolsa de Valores de Nova York.

Trump Palace.

Trump International Hotel & Tower, One Central Park West.

Trump Tower, adjacente à Tiffany's (cujos direitos aéreos eu comprei), entre as ruas 56 e 57, na Quinta Avenida.

Trump International Hotel & Tower, no rio em Chicago.

O edifício do Bank of America, San Francisco.

Trump World Tower — 90 andares, em frente às Nações Unidas.

Com minhas irmãs e irmãos.
Da esquerda para a direita: Robert, Elizabeth,
Fred Jr., eu e Maryanne.

Trump National Doral, Miami.

Trump Golf Links at Ferry Point.

Trump International Hotel em Las Vegas — o prédio mais alto da cidade.

Com o presidente Ronald Reagan, um cara ótimo, na Casa Branca.

Com minha linda
esposa, Melania.

No escritório
com Don, Ivanka e Eric.

não existe. Pergunte aos sindicatos da construção e sindicatos trabalhistas quantos de seus membros estão procurando trabalho. Pergunte a eletricistas, encanadores e pedreiros desempregados como é difícil encontrar um bom emprego.

Se fizermos o que devemos fazer corretamente, podemos criar o maior *boom* econômico neste país desde o New Deal, quando nossa vasta infraestrutura foi implantada. É indiscutível. É tão óbvio que até os democratas conseguem ver.

As questões mais importantes são: "Quanto vai custar?", e: "De onde virá o dinheiro?". Financiar um projeto é bem mais complexo do que a maioria dos políticos entendem. Esses projetos exigem dólares do mundo real, não números num papel. Requer experiência entender como orçar um projeto de modo apropriado.

Penso que todos nós podemos concordar, após vermos nossos políticos desperdiçando o dinheiro de nossos impostos, que a última coisa que queremos é colocá-los a tomar conta de um programa de reconstrução de um trilhão de dólares.

Quando executo um projeto, monitoro o dinheiro. Pelo menos, uma parcela dele sai diretamente de meu bolso —, e, se eu fizer o trabalho direito, muito mais retornará para o mesmo bolso. Sei o custo das coisas, sei para onde vai o dinheiro, sei quem está fazendo um bom trabalho, sei quem está simplesmente enrolando. Nosso governo também deve saber.

Em nível federal, será um investimento muito dispendioso, não há dúvida. Mas, a longo prazo, ele mais que se pagará. Estimulará nossa economia na fase da construção e, quando pronto, facilitará a realização de negócios — e pode ser feito no prazo e abaixo do orçamento.

Há uma porção de formas diferentes de financiar esses projetos. Precisamos reunir uma variedade de fontes para executá-lo. Em alguns locais será necessário emitir títulos. O dinheiro está lá — temos apenas que alocá-lo. O bom é que todas as cidades e estados têm necessidades, o que significa que podemos realmente fazer um esforço nacional, controlado em nível local.

Se estamos levando a sério tornar a América grande outra vez, é por onde devemos começar. Reparar nossa infraestrutura não só criará empregos e estimulará nossa economia, mas também facilitará para chegarmos em casa após um longo dia. E, neste caso, podemos tornar a América linda outra vez.

13

★ ★ ★

VALORES

UMA PERGUNTA QUE me fazem todo o tempo é: "Sr. Trump, como eu fico rico?".

O que estão realmente me perguntando é: "Como atinjo a felicidade?".

A maioria das pessoas acredita que, ao ficarem ricas, automaticamente ficarão felizes. Não vou fingir que ser rico não ofereça inúmeras oportunidades, mas não necessariamente lhe torna uma pessoa feliz. Aprendi que riqueza e felicidade são duas coisas completamente diferentes.

Conheço as pessoas mais ricas do mundo. Muitas são grandes negociadoras e grandes empreendedoras. Mas não necessariamente são pessoas bacanas, tampouco as mais felizes. São ricas, inteligentes — eu as contrataria para negociar para mim a qualquer hora; todavia, suas vidas pessoais podem deixar algo a desejar.

As pessoas mais felizes que conheço são as que têm ótimas famílias e valores verdadeiros. Vejo isso. Conheço isso. Pessoas com um cônjuge adorável e filhos que realmente amam são felizes. A religião também tem um papel preponderante na felicidade. Pessoas que têm

Deus em sua vida recebem uma tremenda dose de alegria e satisfação proveniente de sua fé.

Aqueles que me assistiram despedir pessoas no *Aprendiz*, que leram meus *best-sellers* ou participaram de meus seminários *Learning Annex* pensam que me conhecem. Bem, conhecem uma parte minha — meu lado dos negócios. A parte profissional. De modo geral, não falo muito sobre meus valores pessoais ou como vim a ser quem sou hoje.

Para começar, meu pai e minha mãe tiveram enorme influência sobre mim. Fred Trump era um homem rico, mas garantiu que seus filhos trabalhassem com afinco. Acredite, ele não nos dava nada — tínhamos de trabalhar para conseguir. Ele me arrastava consigo enquanto coletava os modestos aluguéis em regiões violentas do Brooklyn. Não é brincadeira ser o senhorio. É preciso ser durão.

Eu o via tocar a campainha e depois afastar-se para o lado da porta.

"Por que não vai lá?", perguntei uma vez.

"Porque às vezes eles atiram diretamente através da porta", replicou meu pai. Os cobradores de aluguéis geralmente faziam esse trabalho, mas os métodos eram os mesmos.

Minha ética no trabalho veio de meu pai. Não conheço ninguém que trabalhe tão duro quanto eu. Trabalho o tempo todo. Não é pelo dinheiro — apenas não conheço um estilo de vida diferente, e adoro este.

Criei meus filhos do mesmo modo que meus pais me criaram. Tenho cinco filhos ótimos. Enquanto os mais velhos cresciam, eu jantava com eles praticamente todas as noites. Quando precisavam de mim, eu estava lá.

Realmente, fui muito melhor pai do que marido, sempre trabalhei demais para ser o marido que minhas esposas desejavam que eu fosse. A culpa é minha. Estava consolidando minha marca no ramo de imóveis e negócios, e era muito difícil um relacionamento competir com esse aspecto de minha vida.

Com meus filhos a história foi diferente. Sempre estive ao lado deles. Meus dois filhos mais velhos dizem que são os únicos filhos de um bilionário que sabem pilotar um Caterpillar D10. Enquanto os amigos de minha filha Ivanka passavam férias no sul da França, ela ficava trabalhando em Nova York.

Meus filhos têm ótimas mães. Foram criados para se tornarem adultos respeitosos, trabalhadores. Não poderia ter mais orgulho deles. Jamais tivemos quaisquer dos problemas com álcool ou drogas com que as famílias de alguns de meus amigos tiveram de lidar. Espero que continue assim! Agora vejo meus filhos se tornando ótimos pais.

Ao crescer no Queens, eu era um garoto muito durão. Queria ser o garoto mais valentão do bairro e tinha o hábito de ser insolente com todo mundo e não ceder para ninguém. Honestamente, eu era um pouco encrenqueiro. Meus pais finalmente me tiraram da escola e me enviaram para a Academia Militar de Nova York, no norte do estado. Tive também minha cota de altercações nessa instituição.

Embora não tivesse medo de brigar, acabei entendendo a mensagem. Aprendi a respeitar as outras pessoas. Aprendi a ter autodisciplina. No quarto ano, tornei-me cadete capitão — um dos postos mais altos para um cadete.

Meus valores religiosos foram instilados em mim por minha mãe. A primeira igreja a que pertenci foi a Primeira Igreja Presbiteriana em Jamaica, Queens. Eu ia lá todos os domingos para ter aulas da Bíblia. A igreja teve forte influência em mim. Posteriormente, fui para a Marble Collegiate Church, do reverendo Norman Vincent Peale, quando estava em Nova York e entrei para a Bethesda-by-the-Sea em Palm Beach, Flórida.

Eu gostava do reverendo Peale como ministro e também como pessoa. Gostava especialmente de seus sermões. Ele instilava um sentimento muito positivo sobre Deus que também fazia eu me sentir positivo sobre mim. Eu deixava aquela igreja sentindo que podia ouvir mais três sermões literalmente.

Aprendi muitas coisas com Norman Vincent Peale, que escreveu o clássico *O poder do pensamento positivo*.

Acho que as pessoas ficam chocadas quando descobrem que sou cristão, que sou uma pessoa religiosa. Elas me veem em um ambiente de riqueza; às vezes não associam isso a ser religioso. Não é assim. Frequento a igreja, amo Deus e adoro ter um relacionamento com Ele.

Disse isso antes — penso que a Bíblia é o livro mais importante já escrito, bem à frente dos demais.

Talvez *A arte da negociação* seja o segundo. (Brincadeira!)

Tenho tido um bom relacionamento com a igreja ao longo dos anos — Deus está em minha vida todos os dias. Não vou à igreja todos os domingos, mas vou tanto quanto posso. Em vários domingos, quando há uma ocasião especial, e sempre nos principais dias santos, faço questão de estar lá. As pessoas gostam de me presentear com Bíblias, o que eu adoro.

Jimmy Fallon me fez uma pergunta certa noite em seu programa: "Você já se desculpou alguma vez? Alguma vez em toda sua vida?". Eu disse a ele que pensava que pedir desculpas é uma ótima coisa — mas você precisa ter errado. Depois prometi: "Me desculparei no futuro distante, se algum dia errar". O público riu, como era o esperado. Se você quiser saber se eu já errei, a melhor coisa seria perguntar a meus filhos. Eles vão dizer a verdade.

Claro que fiz coisas erradas. Mostre-me um ser humano que não tenha feito. Mas, quando faço, vou lá e tento consertar. Tento fazer um trabalho melhor seguindo em frente.

Perguntaram se eu achava que os evangelhos teriam influência em minhas escolhas de políticas públicas. Essa pergunta tem sido feita a candidatos a cargos políticos desde que Al Smith, um católico, concorreu para presidente em 1928. Muitas pessoas pensaram que JFK encerrara a discussão em 1960, ao dizer que seria o presidente de todos os americanos. Eu sou quem eu sou, e no fundo os evangelhos me ajudaram a ser essa pessoa. Nos negócios, não tomo decisões baseado ativamente em minhas crenças religiosas, mas essas crenças estão lá — em larga medida.

O que me ofende é o modo como nossas crenças religiosas estão sendo tratadas em público. Há restrições sobre o que você pode e não pode dizer, bem como sobre o que você pode construir em uma linda área pública. O fato é que nossas crenças religiosas profundamente arraigadas tornaram este país grande. Essa crença nas lições da Bíblia tem muito a ver com nosso crescimento e sucesso.

Essa é a nossa tradição e por mais de 200 anos funcionou muito bem. Durante anos, houve lindas manjedouras em espaços públicos e ninguém reclamava.

Agora? Maria e Jesus bebê raramente são mostrados. Até mesmo a palavra "Natal" de alguma forma tornou-se controversa.

Quem nesse mundo poderia ficar ofendido se alguém dissesse: "Feliz Natal"?! Esse cumprimento não critica nenhuma outra religião, tampouco é desrespeitoso para com aqueles que praticam outra religião. É uma tradição maravilhosa.

Não entendo por que as mesmas pessoas que exigem respeito por suas crenças geralmente não mostram respeito pelas crenças dos outros. É como se toda a semana houvesse uma decisão negativa sobre algum tema ligado ao cristianismo. Considero isso ultrajante, totalmente ultrajante. O presidente deve fazer algo a respeito. Se o presidente tiver que passar pelo sistema judicial para fazê-lo, deve passar. Mas o atual presidente não fará isso.

É bem sabido que não gosto do presidente Obama. Penso que foi um presidente horrível. Sua inexperiência e arrogância custaram muito a esse país. Ele enfraqueceu nossas forças armadas, alienou nossos aliados e encorajou nossos inimigos. Abusou de seu poder empreendendo ações executivas a que não tem direito. O próximo presidente terá de reverter e repelir várias medidas que ele tomou.

Recebi uma porção de críticas por não responder quando um indivíduo fez o que algumas pessoas consideraram um comentário contra muçulmanos em um evento em New Hampshire. As pessoas têm suas crenças e opiniões. Não é minha função defender o presidente Obama. O presidente Obama jamais me defenderia.

Qualquer um que se pergunte o que penso das mulheres deve apenas dar uma boa olhada na Trump Organization.

Meus sentimentos positivos pelas mulheres estão refletidos no número delas que trabalham em minhas organizações. Coloquei mulheres em importantes posições de liderança na Trump Organization muito antes de qualquer outro lhes dar oportunidade porque sabia que elas podiam encarar. Fui o primeiro construtor a colocar uma mulher no comando de um importante projeto de construção na cidade de Nova York.

No *Aprendiz*, sempre destaquei as habilidades empresariais das mulheres. Converse com qualquer mulher que já trabalhou para mim, e elas dirão a mesma coisa — sou um chefe durão, exigente. Recompenso o sucesso e penalizo o fracasso. Trato as mulheres da mesma forma que trato os homens que trabalham para mim. Dou às mulheres a responsabilidade que merecem por seu desempenho, pago o mesmo, promovo de acordo e, quando pisam na bola, demito do mesmo modo.

Eu não poderia ter mais orgulho de meu histórico com as mulheres.

Talvez minha porta-voz sobre esse tópico devesse ser minha filha Ivanka. Tenho um orgulho tremendo pelo fato de que meus filhos não apenas trabalham comigo, mas, quando sou criticado, são os primeiros a me defender.

14

★ ★ ★

O NOVO JOGO

AO CONTRÁRIO DAS PIADAS, não penso que a Casa Branca necessite de letreiros de neon brilhantes no telhado. Não há necessidade de alas extras, nem de vender os direitos aéreos.

No entanto, penso que é preciso levar uma certa perspicácia empresarial para a Casa Branca.

A única coisa sobre a qual você pode ter certeza é que, diferentemente da administração Obama, eu defendo este país com orgulho e em alto e bom som. Continuo a ser exatamente o que eu era — o maior entusiasta da América — da América que vence em vez de perder constantemente.

Como ficou evidente ao longo de minha vida, não tenho medo de olhar diretamente nos olhos de meus oponentes e dizer exatamente aquilo em que acredito.

Jamais me preocupo em ser politicamente correto. Não preciso ler pesquisas para tomar minhas decisões.

E não vejo nenhum motivo para mudar o meu jeito.

As questões que confrontam nosso país são por demais importantes e exigem nada menos que uma avaliação honesta de onde estamos e do que precisa ser feito.

Somos únicos entre as nações do mundo e devíamos estar liderando, não seguindo.

Vencendo, não perdendo.

Temos uma história incrível. A América é o maior país que já existiu na Terra; no entanto, por algum motivo, nossos líderes relutam em marcar nossa vantagem.

Eu criei com sucesso uma das marcas mais respeitadas do mundo, representando-a em tudo o que faço. Percebi há muito tempo que, se não tenho orgulho do que vendo, não existe motivo para que outra pessoa sinta tal orgulho.

Coloco meu nome em meus edifícios e meus produtos e os respaldo. As pessoas acostumaram-se a esperar uma altíssima qualidade em tudo que ostenta meu nome.

Não há nada no mundo de que me orgulhe mais do que dos Estados Unidos da América. Serei sempre seu maior defensor, maior vendedor e entusiasta que já tivemos.

A América é a líder do mundo livre — adquirimos o direito de nos vangloriarmos e de deixar claro que estamos preparados e dispostos a fazer o que for necessário para defender este país bem como a liberdade em qualquer lugar do mundo.

Nosso hino nacional diz corretamente: essa é a terra dos homens livres e o lar dos bravos. Chegou a hora de vivermos essa mensagem e informarmos ao mundo que estamos dispostos a respaldá-la.

Tornar a América Grande Outra Vez significa cumprir nossa palavra. Vimos o presidente Obama estabelecer um limite, depois outro limite e depois nenhum limite. Nos tornamos um constrangimento para nós mesmos e para a nossa história.

Quando seus aliados não confiam em você e seus inimigos não o temem, você tem credibilidade zero no mundo. Neste momento, nossos aliados não sabem no que acreditar sobre nós, ou se podem até mesmo acreditar na nossa palavra. O presidente Obama falou ao vento por um longo período.

Vimos Putin ignorá-lo. Vimos praticamente todas as facções em guerra na Síria não dar bola para ele. Vimos os chineses levando uma tremenda vantagem sobre nossas políticas comerciais. Vimos os iranianos deixarem a mesa de conferência em que negociávamos um tratado nuclear (em que foi proclamada uma "nova era" de cooperação), e aí, poucas semanas depois, o aiatolá ameaça de novo destruir Israel — e rindo dos EUA.

Mais próximo de casa, a apenas alguns quarteirões da Casa Branca, o Congresso prepara-se para decidir se vai ou não fechar o governo. Isso acontece praticamente ano sim, ano não.

Precisamos de um líder que recupere o respeito de que este país desfrutou no passado. Sou criticado por não emitir declarações de políticas detalhadas, elaboradas. Que bem podem fazer planos detalhados se nosso país não tem credibilidade de executá-los? Mas, de qualquer forma, emito-os.

Vamos voltar ao básico, à América que nossos cidadãos abraçaram porque éramos reconhecidos como *a* principal força para o progresso e a paz.

Muitas das lições que aprendi nos negócios são aplicáveis em nossa situação atual. A lição mais importante é a seguinte — *cumpra sua palavra e certifique-se de que sua palavra se mantenha.* As pessoas que fazem negócios comigo dirão que eu jamais falo alguma coisa a menos que seja aquilo que quero dizer.

Não faço promessas que não posso cumprir. Não faço ameaças sem levar a cabo. Jamais cometa o erro de pensar que pode me intimidar. Meus sócios nos negócios e meus funcionários sabem que minha palavra vale como um contrato — e que me conhecendo é melhor que também mantenham a sua palavra.

Defendo *meus* compromissos e *nossos* compromissos como nação.

Defendo — sem questionar — a Constituição no âmbito doméstico e defendo nossos aliados no exterior sem questionar.

Nenhum país amigo e líder aliado devem questionar nosso férreo apoio outra vez.

Nenhum inimigo e nenhum líder inimigo devem interpretar erroneamente nossa resolução de lutar até a morte — a morte deles.

Não precisaremos que o presidente de Israel venha aqui explicar ao Congresso o que costumávamos defender.

Tornar a América Grande Outra Vez significa jamais dar outro passo para trás. Sim, buscaremos inspiração no heroísmo de nosso passado, mas agora vamos apenas avançar. Quando eu praticava esportes na juventude, havia uma inscrição no vestiário: se você dá o primeiro passo para trás, pode muito bem continuar nessa direção.

Dito de outra forma: se você aceita perder, então já perdeu.

Há ocasiões nos negócios em que faz sentido alterar a estratégia ou inclusive desistir de um acordo. Você jamais deve ter medo de desistir de um mau acordo.

Alguém deve explicar esse princípio ao presidente Obama e John Kerry.

Apenas quando está disposto a dizer "basta" você reúne forças e força seus adversários a modificar o comportamento.

Entendo que não seja possível ser totalmente rígido numa negociação. Mas não pode haver recuos ou retiradas em nossos princípios básicos e pontos fortes centrais. Por isso necessitamos reconstruir nossas forças armadas, de modo que ninguém tenha dúvidas de nossa força ou intenções. Se formos desafiados, enfrentaremos o desafio, e outros líderes e outros países pensarão seriamente antes de duvidar de nós outra vez.

Meu estilo de conduzir negócios é direto. Eu penso grande. Almejo muito alto e então avanço firme na direção da meta — e além dela. No fim, posso não obter tudo o que queria — entendo isso —, mas jamais comprometo os objetivos básicos de que fui em busca.

Tornar a América Grande Outra Vez significa convencer as pessoas mais inteligentes e capacitadas a ir para Washington e participar da priorização de nosso país. A verdade é que os políticos deram má reputação ao governo. É uma vergonha. As melhores pessoas não querem se envolver em uma burocracia onde nada jamais parece ser feito.

Quem pode culpá-las?

O tipo de pessoa que precisamos no governo são executivos que saibam como fazer as coisas. São trabalhadores e executivos do tipo que já são ou se tornarão estrelas em qualquer setor. Há também muitos funcionários públicos esperando bons líderes para inspirá-los.

Há alguns anos, pessoas desse tipo desejavam estar no governo, pois tinham fé que o governo existia para ajudar os cidadãos e que elas poderiam contribuir para a nação fazendo um bom trabalho. Acreditava-se nos serviços do funcionalismo público.

Agora os que estão dentro dos círculos de Washington estão desmoralizados. Os que estão fora não querem entrar. Muitos vão para Washington desejando mudá-la, mas são eles que acabam mudando. E não para melhor.

Funcionários ambiciosos do governo não conseguem transpor a burocracia, e isso os leva a deixar o governo e entrar no setor privado. Você acaba tendo basicamente carreiristas do tipo "móveis e utensílios" fazendo o trabalho rotineiro.

É um ciclo terrível. O governo está repleto de pessoal competente impedido de tentar fazer as coisas, e, como nada é feito, as melhores pessoas fora de Washington não querem entrar no governo, de modo que nada jamais é feito ou melhora.

Precisamos criar uma atmosfera estimulante e colocar pessoas competentes nas posições certas para Tornar a América Grande Outra Vez. Um motivo para raramente termos dificuldade de recrutar os profissionais que queremos para a Trump Organization é eles saberem que desempenharão um papel-chave em uma empresa agressiva que existe para fazer grandes coisas acontecerem. É um local de trabalho estimulante.

As pessoas querem participar desse tipo de organização. Sabem que serão respeitadas e julgadas por suas realizações. Sabem que a vida em minha empresa jamais será monótona, que serão bem recompensadas pelo trabalho árduo e que compartilharão do sucesso.

Gente de fora realmente talentosa vai apreciar a ideia de fazer parte do futuro. Claro que, devido aos necessários controles orçamentários, haverá um número menor de funcionários no governo como um todo. Isso significa que a competição será ainda mais acirrada para ser um dos melhores.

Tornar a América Grande Outra Vez significa restaurar a lei e a ordem, tanto na rua como nos tribunais. Nossos policiais estão fazendo um trabalho incrível, mantendo-nos seguros da melhor forma possível, mas o trabalho deles está ficando mais difícil, pois falta o suporte de que necessitam. Assim como nossas forças armadas, é preciso que tenham os equipamentos necessários para proteger a si mesmos e a todos os nossos cidadãos trabalhadores e honestos.

O governo deve ficar do lado deles, em vez de mimando criminosos.

Obviamente, isso implica nomear para os tribunais juízes que defenderão a lei em vez de procurar brechas ou tentar fazer leis.

Precisamos apontar magistrados — não apenas para a Suprema Corte, mas para todo o sistema judiciário — que deixarão a elaboração de leis para os legisladores, como especificado na Constituição. O próximo presidente pode muito bem ter a oportunidade de apontar dois ou mais juízes para a Suprema Corte. Essas indicações podem determinar a direção da corte por diversas décadas. Precisamos de juízes do calibre certo nas instâncias superiores.

Tornar a América Grande Outra Vez começa em casa. Significa restaurar o senso de dignidade da Casa Branca e de nosso país em geral. O presidente dos Estados Unidos é a pessoa mais poderosa do mundo. O presidente é o porta-voz da democracia e da liberdade. Não está na hora de recuperarmos a pompa, a circunstância e o senso de admiração por esse cargo que todos nós já tivemos?

Isso significa que todos que trabalham na administração devem parecer e atuar como profissionais em todas as horas — especialmente o presidente. O modo como você se veste e age é uma forma importante de mostrar respeito pelas pessoas que representa e pelas pessoas com que lida. As impressões importam.

Tornar a América Grande Outra Vez significa afastar nosso país dos interesses dos grandes grupos. Temos um país onde os grandes problemas não podem ser resolvidos por consenso porque os lobistas de mentalidade mesquinha e os grupos de interesses especiais estão obstruindo as salas do Congresso com seu "acesso especial".

Todo mundo fala em ouvir a voz do povo. Mas como é possível ouvir essa voz quando ninguém a representa? Eu estou ouvindo.

Vamos restaurar a confiança e o orgulho em nosso país, Tornando a América Grande Outra Vez.

15

★ ★ ★

ENSINANDO ECONOMIA E SENSATEZ À MÍDIA

"ESPERO QUE DONALD TRUMP, o apresentador pomposo de *Celebrity Apprentice*, concorra a presidente", escreveu a colunista do *Washington Post* Michelle Singletary em abril de 2015. Ela continuou: "Teremos então um exame certificado de seus rendimentos, investimentos e dívidas. Mas eis aqui uma previsão no estilo Trump, parecida com os vários pronunciamentos feitos pelo incorporador imobiliário que não são apoiados por nenhuma evidencia confiável: Trump não concorrerá. Não irá declarar a candidatura oficialmente porque o código de ética do governo exige que os candidatos a cargos federais declarem suas finanças pessoais".

Kyle Smith, gênio residente do *New York Post* de Rupert Murdoch, também havia calculado tudo.

Ele escreveu: "Grandes notícias de Donald Trump. Grandes, enormes. Consegui antes de qualquer um. Donald Trump está concorrendo para presidente... da Donald Trump Love & Admiration Society. Ele tem certeza de que será eleito com a maioria esmagadora dos votos. Oh, aquela outra coisa? Não. Sem chance. Quando Trump declarou no Lincoln Dinner do Partido Republicano de Iowa que faria um anúncio em junho 'que surpreenderia uma porção de pessoas', não estava preparando o lançamento de sua candidatura esperada há tempos. Estava fazendo simplesmente o que sempre faz: promover Donald. Gerar manchetes. Fazer as pessoas falarem".

O verdadeiramente detestável Jonah Goldberg, do *National Review*, foi o incompetente habitual quando escreveu: "Discutir com Trump é como vestir um bebê adorável com uma roupa de viking e ouvi-lo dizer que o bebê atacará minha aldeia, assassinando todos no caminho. É bonitinho. É divertido. Talvez seja até vagamente perturbador se ele prosseguir por muito tempo... Mas, assim como os impropérios de Trump, a única coisa que você jamais deve fazer é levar a sério".

Este é o triste e com frequência patético estado de nossa mídia "objetiva" atual. As pessoas que supostamente deveriam relatar as notícias não têm noção de justiça, pois acreditam que são especialistas. São "sabichonas" — têm informações privilegiadas.

Elas jamais ficam constrangidas, mas deveriam. Devem pensar que seus leitores são idiotas que esquecem a frequência com que elas interpretam tudo errado. Após eu declarar que estava me candidatando, muitas ainda não acreditavam.

De alguma forma, todas "sabiam" que eu não preencheria os demonstrativos financeiros — pois Trump talvez não seja assim tão rico como as pessoas pensam. Constatou-se, após eu ter preenchido, que eu era muito mais rico.

Como o "brilhante" Goldberg escreveu (interpretando tudo errado outra vez): "No passado, Trump sempre desistiu no último instante. Por que arriscar seu amado programa de TV? Por que sofrer o embaraço de revelar que não é tão rico como alega... Mas algo mudou... E Trump deu o pulo do gato — embora ainda não tenha fornecido os demonstrativos financeiros exigidos, o que me inclina a pensar que ele de repente achará uma desculpa para recuar ou que tem uma equipe de contadores tentando descobrir como pode simultaneamente livrar a cara e evitar o perjúrio".

Para mim, é incrível o quanto a mídia neste país é realmente desonesta. As pessoas às vezes esquecem que os jornais e as estações de TV são empresas que geram lucro — ou pelo menos tentam. Se têm que escolher entre fazer relatos honestos e lucrar, qual escolha você acha que farão?

O triste é que tudo isso prova que tanto as fontes de notícias liberais como as conservadoras conseguem mentir e distorcer as notícias desavergonhadamente. Tive reuniões com jornalistas que gravaram fielmente o que eu disse, depois alteraram as palavras e o sentido.

Repórteres escrevem e falam sobre mim, inclusive me entrevistando em jornais, revistas e na televisão há quase quatro décadas. Muitos são competentes e honestos, mas alguns são incrivelmente desonestos e simplesmente horríveis. Me dou muito bem com uma porção de bons repórteres; faço objeção àquelas pessoas que tentam ganhar atenção escrevendo histórias imprecisas sobre mim e a Trump Organization. Algumas experiências jamais esqueci. Um suposto jornalista de uma publicação famosa foi a meu escritório e entrevistou a mim e vários de meus executivos. Fornecemos uma pilha de papelada, demonstrativos e relatórios financeiros, tudo o que ele pediu — aí ele escreveu uma das histórias mais incorretas que já li. O público presta atenção numa história por menos de uma semana, especialmente quando alguém rende tantas histórias como eu. Mas a impressão que uma má história deixa dura muito mais.

Por um longo tempo decidi ignorar a maioria desses ataques; tinha edifícios e clubes de golfe em andamento no mundo inteiro, meu programa de TV estava entre os dez primeiros, e eu tinha uma ótima família. Não queria dar a eles mais atenção do que merecem. Mas então meu primo John Walter ligou e começou a reclamar de uma história particular que havia ouvido, de que eu não construíra um edifício desde 1992, e disse que eu tinha de corrigir isso. Não podia continuar a deixar os repórteres errando tanto. Eu não tinha construído um edifício desde 1992? Bizarro. Você precisa ser cego e também ignorante para dizer algo assim. Deve ser a coisa mais fácil do mundo conferir o que tenho realizado. Estou trazendo esse caso à tona pois ele ressalta que você não pode acreditar em tudo o que lê ou escuta — especialmente sobre alguém como eu.

Eu poderia listar literalmente dezenas de projetos importantes que executei desde 1992 (e faço isso no apêndice), mas, apenas para dar um exemplo, o premiado Trump International Hotel & Tower, de 52 andares, inaugurado em 1996. O cinco estrelas Trump International Hotel & Tower, aberto em Chicago em 2009. O Trump International Hotel, de US$ 1,3 bilhão, em Las Vegas, inaugurado em 2008. A completamente renovada "Joia da Coroa de Wall Street", o 40 Wall Street, que por um breve período foi o edifício mais alto do mundo, reaberto em 1996 e que está totalmente locado. O edifício remodelado do 555 California Street, o segundo mais alto de San Francisco, reinaugurado em 1996. A lista continua por páginas. O Trump Park Avenue, de 35 andares. A Trump World Tower. Construí os melhores campos de golfe do mundo em muitas localidades, de Palm Beach a Aberdeen, Escócia. O Trump National Doral, Miami. Possuo três campos de golfe icônicos na Escócia e na Irlanda, com várias centenas de hotéis e unidades residenciais mais bem construídas ou restauradas por mim do que eram originalmente. Eu nem mesmo diminuí o ritmo. O belo antigo edifício dos correios em Washington, D.C., agora é o Trump International Hotel, Washington D.C. Venci uma licitação acirrada pela oportunidade de reformar esse prédio magnífico, inaugurado em 2016. E muitos, muitos mais. Obviamente, tenho sido um empresário extremamente ocupado desde 1992!

Terrível, reportagens preguiçosas realmente me incomodam. Acredito que incomode qualquer um que trabalhe duro como eu e o pessoal maravilhoso que trabalha para a empresa quando um jornalista escreve algo tão impreciso. A próxima vez que você ler ou ouvir algo sobre mim que não pareça correto, examine bem a pessoa que escreveu o artigo ou falou na TV e veja se a respeita.

Outro repórter escreveu em uma grande publicação que meu pai havia me dado US$ 200 milhões quando comecei minha carreira. Quem me dera! Esse repórter não fez sequer a cortesia de me ligar para perguntar se era verdade. Leu isso em um velho livro errado e escreveu a respeito. Não há homem no mundo que eu amasse ou respeitasse mais que meu pai. Ele era meu melhor amigo e meu mentor. Me passou seu conhecimento, sua ética no trabalho e sua motivação para ser bem-sucedido. Consolidou sua maravilhosa empresa no Queens e Brooklyn do nada. Mas trabalhou em uma época diferente, em uma escala diferente. Ele construiu boas moradias, e eu construí grandes edifícios e resorts na cidade de Nova York e mundo afora. Adotei o que aprendi com meu pai e consolidei meu próprio negócio — e ninguém era mais orgulhoso de mim por ter feito isso do que meu pai. Ele disse a uma revista de negócios uma vez: "Tudo o que Donald toca vira ouro!".

Tenho orgulho do que construí; por isso, quando supostos jornalistas erram, tenho de responder.

O problema é que isso está piorando. Sei que todas as pesquisas mostram que o público não confia na mídia. A ironia é que é a mídia que conduz essas pesquisas.

Mesmo a mídia tem que admitir que as pessoas não confiam nela.

Talvez o momento mais constrangedor para os jornalistas até agora tenha sido quando apresentei meu demonstrativo financeiro. Sou o candidato presidencial mais rico da história. Sou o único bilionário que já concorreu. Não estou aceitando doações de meus amigos ricos, grupos de interesses especiais ou lobistas. Quando foi a última vez que um candidato a cargo político não aceitou dinheiro? Os eleitores sabem disso — e adoram.

Assim, talvez eu não devesse ficar surpreso com a reação quando preenchi o formulário de 92 páginas com meu demonstrativo financeiro. Meu patrimônio líquido excede os US$ 10 bilhões — ainda mais do que as pessoas imaginavam.

Como qualquer contador vai dizer, é de fato praticamente impossível apresentar um número específico, pois ativos de grande porte estão sempre em fluxo. O valor total não muda apenas todos os dias — muda a cada *hora*.

Também tenho investimentos significativos no exterior difíceis de avaliar. E mais: os formulários que tivemos de preencher não foram concebidos para alguém como eu. Há muitos campos no formulário em que o único quadradinho que eu podia marcar era "US$ 50 milhões ou mais". Por exemplo, um de meus edifícios vale cerca de US$ 1,5 bilhão, mas nos formulários ele fica avaliado como "US$ 50 milhões ou mais".

Marcamos uma porção de quadradinhos. Sempre que possível, fomos acurados com os valores.

Jamais tenho vergonha de gerar notícias por ser controverso ou revidar. Lembre-se, precisamos assegurar que este país se posicione e revide.

Participei de mais coletivas de imprensa concorridas nos últimos meses do que qualquer outro candidato. Sempre atraio uma multidão de jornalistas, que são como tubarões, esperando que eu derrame sangue na água.

Tento ser prestativo.

Participei do primeiro debate republicano, e a Fox obteve a maior audiência para um noticiário de sua história. No segundo debate, a CNN teve a maior audiência de sua história. Fico me perguntando quantas pessoas teriam assistido o debate se seu não estivesse envolvido. Não muitas!

16

★ ★ ★

UM CÓDIGO FISCAL QUE FUNCIONE

A ÚNICA COISA com que todo mundo concorda é que nosso sistema tributário não funciona. O atual código é louco. O código fiscal federal tem 74.608 páginas. Ninguém consegue realmente entendê-lo, nem mesmo os contadores que tentam ajudar os contribuintes a preencher seus formulários. Todos os anos floresce uma indústria inteira apenas para ajudar os americanos a descobrir quanto devem de dinheiro para o governo.

A realidade é que o atual código fiscal arrecada um excesso de dinheiro das pessoas que mais necessitam dele, enquanto permite que outras encontrem meios de reduzir sua carga tributária. Desestimula as grandes corporações de reinvestir lucros estrangeiros aqui e dificulta o crescimento de pequenas empresas. Absolutamente destrói empregos em vez de ajudar a criá-los.

Um plano fiscal sensato proporcionaria alívio tributário para os americanos da classe média, permitindo que os trabalhadores dedicados conseguissem conservar mais de seu próprio dinheiro; reduziria a ansiedade e frustação anual dos contribuintes, simplificando todo o código fiscal; faria a economia crescer e criaria empregos ao desestimular as inversões fiscais e tornar a América competitiva no mundo inteiro; e isso não aumentaria nossa dívida ou déficit.

As reformas tributárias que estou propondo abordam todos esses problemas, simplificando o código fiscal para todos. Meu propósito é tirar a H&R Block do mercado.

Descrevi essas soluções em um artigo publicado no *Wall Street Journal* no final de setembro de 2015, intitulado "Reforma tributária para a segurança e prosperidade".

Escrevi que a principal prioridade do governo dos Estados Unidos deveria ser proporcionar segurança para seu povo. Essa segurança inclui eliminar a incerteza e garantir que o futuro econômico do país seja assegurado por melhores contratos, acordos comerciais mais inteligentes e políticas fiscais que não sobrecarreguem a classe média e desatrelem o setor privado.

Minha abordagem da política fiscal fará exatamente o que precisa ser feito. Para todos os americanos, a incerteza e complexidade de um código fiscal elaborado por grupos de interesse especial e milionários serão eliminadas, e um futuro claro ficará disponível a todos.

O plano tem vários objetivos. Deixe-me esclarecer que esse conjunto de políticas tem como alvo eliminar as deduções e brechas disponíveis para os grupos de interesses especiais e os milionários, bem como tornar essas deduções redundantes ou desnecessárias por causa das alíquotas de imposto muito mais baixas que todas as pessoas e empresas pagarão.

Em particular, estou propondo acabar com tratamento atual dos lucros dos fundos hedge e outras aplicações especulativas que não fomentam negócios ou geram empregos.

O primeiro objetivo do plano será proporcionar alívio fiscal. Se você for solteiro e ganhar menos de 25 mil dólares ou casado e ganhar menos de 50 mil dólares, estará isento. Essa medida eliminará automaticamente cerca de 75 milhões de famílias da lista do imposto de renda.

Segundo, o código fiscal será simplificado. Em vez de alíquotas múltiplas, haverá somente quatro alíquotas: 0%, 10%, 20% e 25%. Esse novo código cancela a penalidade do casamento e o Imposto Mínimo Alternativo, proporcionando ainda as alíquotas mais baixas desde a Segunda Guerra Mundial. Além disso, elimina o imposto sobre a morte, permitindo às famílias conservar o que foi ganho.

As políticas propostas possibilitarão à classe média manter a maioria de suas deduções, ao mesmo tempo eliminando a maioria das deduções para os ricos. Com mais dinheiro no bolso da classe média, o gasto dos consumidores aumentará, as poupanças para a faculdade crescerão, e as dívidas pessoais diminuirão.

Terceiro, precisamos fazer com que a economia americana cresça. Nos últimos sete anos, nossa economia ficou virtualmente paralisada. Um crescimento do PIB de menos de 2% ao ano é patético. Precisamos estimular a produção, repatriar empregos e facilitar os investimentos na América.

O plano determina que qualquer empresa, de qualquer tamanho, não pagará mais de 15% de seus rendimentos em impostos. Essa alíquota baixa tornará as inversões fiscais desnecessárias e fará da América um dos mercados mais competitivos do mundo. Esse plano também exigirá que companhias com capital *offshore* repatriem o dinheiro para os Estados Unidos a uma taxa de apenas 10%. Nesse momento, o dinheiro não é repatriado porque a taxa é muito alta.

Por fim, este plano não aumentará nossos déficits ou nossa dívida nacional. Com uma gestão orçamentária disciplinada e eliminação de desperdício, fraude e abuso, este plano permitirá o equilíbrio do orçamento, o crescimento da economia a níveis recordes, a melhora da taxa de emprego e o início do processo de redução da nossa dívida. Com crescimento moderado, este plano terá uma receita neutra. Essas mudanças vão assegurar um enorme crescimento econômico, e este país estará na trajetória de uma extraordinária prosperidade.

Esta política fiscal tem como prioridade o bem-estar econômico do país e de seus cidadãos. Este plano é audacioso, mas também moldado na realidade e na sensatez. O crescimento econômico nos dará a segurança de que precisamos para tornar a América grande outra vez.

Embora meu artigo resumisse isso, há outros pontos importantes a esclarecer: quando o imposto de renda foi introduzido, apenas 1% dos americanos era tributado. Jamais houve a intenção de que fosse um imposto para a maioria dos americanos. Com este plano, o imposto de renda será eliminado para quase 75 milhões de famílias, e 42 milhões destas famílias que atualmente precisam preencher formulários complexos, geralmente com ajuda profissional, só para descobrir que não devem nada, preencherão apenas um formulário de uma página, o que fará com que poupem tempo, ansiedade e frustração — e mais de 100 dólares em média nos custos de preparação. Mais de 31 milhões de famílias também utilizarão o modelo simplificado — e conseguirão reter quase US$ 1 mil do dinheiro pelo qual trabalharam.

A grande redução nas alíquotas tornará uma porção das atuais isenções e deduções — parte do motivo para os formulários serem tão complicados — desnecessárias e redundantes. Mas as deduções para doações de caridade e juros hipotecários não serão tocadas. Essas deduções são muito bem-sucedidas em atingir seus objetivos — auxiliar as entidades beneficentes americanas e ajudar as pessoas a possuírem suas próprias casas. Também será eliminado o imposto sobre a morte, pois você ganhou esse dinheiro e já pagou impostos sobre ele. Você o poupou para sua família. O governo já deu sua mordida; não tem direito a mais.

Nosso atual código fiscal desestimula o crescimento das empresas e penaliza o sucesso. Um número excessivo de companhias, de nossas maiores marcas às inovadoras *start-ups*, está transferindo suas sedes para o exterior, quer diretamente ou por inversões fiscais. Em uma inversão, uma companhia transfere sua sede legal para um país com menor carga tributária e paga os impostos lá. Isso não é ilegal, desonesto, nem mesmo antipatriótico, é apenas um bom negócio. Qualquer empresa que não aproveite a oportunidade de aumentar seu faturamento reduzindo impostos não está sendo administrada de forma adequada. Os democratas querem tornar as inversões ilegais, mas isso não vai funcionar. Seja qual for a lei que aprovem, com literalmente bilhões de dólares em jogo, as corporações descobrirão métodos para dribá-las. Faz muito mais sentido criar um ambiente que acolha bem os negócios.

No governo de Ronald Reagan, tivemos a melhor alíquota de imposto para empresas do mundo industrializado. Agora temos a pior. Em vez de trabalharmos com nossas empresas para reconstruir nossa economia e criar milhões de empregos, estamos praticamente forçando-as a se mudar. Este plano fiscal cortará a alíquota de imposto para empresas para 15% — para nossas pequenas empresas, autônomos e corporações de grande porte. As pequenas empresas são o verdadeiro motor de nossa economia. De acordo com o Council of Economic Advisors (Conselho de Consultores Econômicos), as pequenas empresas americanas criam 60% de nossos novos empregos. Mas, quando créditos tributários e deduções são incluídos, a maioria das pequenas empresas são na realidade taxadas com alíquotas mais altas do que as grandes corporações. Sob o código fiscal existente, proprietários individuais, autônomos, pequenas empresas não incorporadas e entidades *pass-through* são taxados com o dobro das alíquotas pagas pelas corporações. Com a internet alterando a estrutura do mundo dos negócios e estimulando o surgimento de *start-up*s, há um número maior desses empreendimentos do que antes. É onde nosso futuro está sendo construído, onde cada dólar conta, e nosso código fiscal dificulta a sobrevivência deles.

Enquanto essas empresas forem taxadas injustamente com alíquotas de imposto pessoal, haverá uma enorme desvantagem. O plano correto criaria uma nova alíquota de imposto para empresas de 15% inserida no código fiscal de renda pessoal, que reduziria substancialmente os impostos e ajudaria esses negócios a crescer e ter sucesso.

Enquanto você lê isso, as corporações controladas por americanos detêm mais de US$ 2,5 trilhões em dinheiro no exterior. Imagine simplesmente o que aconteceria se nossas corporações repatriassem esse dinheiro. Quantos empregos seriam criados? Atualmente, elas não trazem o dinheiro para cá porque as taxas aqui são muito mais altas do que em outros países. Um componente-chave desse plano é a repatriação única do dinheiro corporativo hoje mantido no exterior a uma taxa de 10% de imposto. Com esse plano, as corporações lucrariam extraordinariamente repatriando aqueles US$ 2,5 trilhões e colocando-o a trabalhar — ao mesmo tempo em que se beneficiariam de uma taxa corporativa recém-reduzida e competitiva no cenário mundial.

A grande pergunta que todos farão é: como se paga por esse plano maravilhoso? A boa notícia é que ele tem um regime neutro de receitas — e isso antes do crescimento econômico que será desencadeado pela injeção de mais dinheiro no seu bolso e pelos novos empregos que serão criados. Este plano será pago pela redução ou eliminação da maioria das deduções e brechas que permitem aos muito ricos pagar impostos mais baixos, pela repatriação do dinheiro corporativo mantido no exterior, pelo fim da permissão para que empresas adiem o pagamento de impostos sobre ganhos obtidos no exterior e pela redução ou eliminação das brechas corporativas que atendem a grupos de interesses especiais — além daquelas deduções que se tornam redundantes ou desnecessárias reduzindo-se as alíquotas sobre as rendas de corporações e empresas. Uma taxa razoável de dedutibilidade dos custos com os juros nos negócios também será gradualmente introduzida.

Devemos por fim reduzir o desperdício. Bilhões e bilhões de dólares são desperdiçados anualmente, e ninguém parece responsável. Em cada eleição, todos os políticos prometem reduzir o desperdício nos gastos.

Quando foi a última vez que você ouviu falar do governo realmente fazer isso? Eu mesmo responderei: nunca. Nos negócios, você aprende que uma pequena poupança muito rapidamente se torna uma grande poupança. Quando você está gastando seu próprio dinheiro, aprende a eliminar desperdícios. O próximo presidente tem de parar de jogar seu dinheiro fora. Poupe uns bilhões aqui, uns bilhões ali, e antes que perceba, você teve um corte real nos gastos.

Não é difícil detectar esse desperdício. Em 2013, Walter Hickey, do *Business Insider's*, analisou os relatórios da Inspetoria Geral de cada governo e identificou com facilidade US$ 15 bilhões em poupanças rápidas, desde US$ 42 milhões cedidos pelo Departamento de Educação a uma faculdade — que era inelegível para o recebimento de fundos federais —, até US$ 2,7 bilhões que o Departamento de Saúde e Serviços Humanos poderia ter poupado simplesmente pelo reexame do preço que o Medicaid e o Medicare devem pagar por medicamentos no atacado.

Em 2015, o *Citizens Against Government Waste* emitiu o relatório *Prime Cuts* mostrando como US$ 648 bilhões poderiam ser eliminados do orçamento de 2016 sem causar danos. US$ 9,6 bilhões poderiam ser economizados pelo fim do programa Rural Utilities Service, que concede empréstimos e doações para a construção de instalações em regiões pouco assistidas do país — em uma cidade da região rural do Arkansas, o governo gastou US$ 5.500 por residente de nossas contribuições fiscais para prover acesso à internet banda larga. O relatório também destaca o custo da falta de supervisão de diferentes programas, notando que existem 6,5 milhões de contas de previdência social ativas emitidas para pessoas supostamente com 112 anos de idade ou mais — embora existam apenas 35 pessoas conhecidas com essa idade. E muita gente estima que haja um desperdício superior a US$ 100 bilhões no programa Medicare.

O ponto é que jogamos fora bilhões de dólares todos os anos, e o próximo presidente tem de fazer algo para deter esse desperdício.

Está na hora de finalmente atualizarmos o nosso código fiscal, reduzindo a carga tributária para a maioria dos americanos, simplificando o sistema para todos, provendo uma política racional para corporações de grande porte e pequenas empresas e cortando os bilhões de dólares que desperdiçamos todos os anos... e, para coroar tudo isso, trazer nossos empregos de volta, para onde pertencem.

17

★ ★ ★

TORNANDO A AMÉRICA GRANDE OUTRA VEZ

EU TINHA 28 ANOS em 1974, quando me envolvi em meu primeiro projeto de construção importante. O outrora fantástico Commodore Hotel, localizado bem ao lado da Grand Central Station, estava em um caos total. Houve tempo em que o Commodore era um dos maiores hotéis do mundo, mas o hotel e todo o bairro haviam se deteriorado.

Inúmeros edifícios da área já estavam sob execução da hipoteca, e muitas das lojas tinham janelas e portas lacradas. O exterior do Commodore estava imundo, e seu interior era tão escuro e encardido que parecia que o edifício estava à beira de se tornar um hotel de pernoite.

Era um prédio moribundo, em um bairro moribundo, numa cidade em dificuldades.

Eu provavelmente ainda era muito jovem para saber muito. Mas sabe de uma coisa? Eu era a mesma pessoa que sou hoje, pronto para qualquer desafio. Tinha total confiança em minha capacidade de fazer as coisas. Porém, hoje possuo o benefício adicional de uma experiência realmente formidável.

Quando olhei para o Commodore, vi seu potencial — essa seria a maior reforma hoteleira na cidade de Nova York durante a segunda metade do século 20.

O bairro ainda tinha possibilidades também. Bem no coração da área da Grand Central, milhares de pessoas passavam em frente ao hotel todos os dias. Eu não tinha dinheiro suficiente para bancar o projeto e não poderia ter arriscado mesmo que tivesse.

Investidores imobiliários sagazes de todos os tipos me disseram que não daria certo.

No entanto, eu tinha uma visão do que poderia ser feito, por isso nunca desisti. Meu entusiasmo e meu planejamento meticuloso atraíram outros para o negócio. Tenho uma força indomável quando estou empolgado e eu estava no estilo Trump a pleno naquele projeto — e em muitos outros desde então.

Durante os anos que levei para organizar esse projeto, aprendi muito sobre trabalhar com a prefeitura e os bancos, a indústria da construção e os sindicatos. Eu poderia ter apenas remodelado a estrutura existente, mas não é assim que penso.

Houve caluniadores ao longo de todo o trajeto. Por exemplo, os ambientalistas ficaram furiosos por eu criar uma nova e linda fachada externa de vidro. Por dentro, tirei todos os pisos, substituindo-os pelos melhores materiais disponíveis.

O hotel, o Grand Hyatt, tem sido um sucesso desde o dia em que abriu, em 1980. Tornou-se o alicerce para a restauração de toda a vizinhança da Grand Central, bem como o meu cartão de visita — apresentando a marca de qualidade Trump para a população nova-iorquina.

Esse projeto marcou a primeira vez em que peguei uma grande propriedade decadente e a tornei grande outra vez. Como parte do projeto, reformei o próprio terminal da Grand Central — ele ficou bonito e limpo novamente. Eu faria isso repetidamente nos 35 anos seguintes — e agora no projeto realmente grande e importante: nosso país.

★

Podemos pegar um país debilitado e torná-lo grande de novo. Permitiram que nosso país definhasse e se tornasse um lugar maculado de segunda classe aos olhos do mundo.

Os desafios à frente são muitos. Os pessimistas da mídia e do *establishment* estão ativos, pois receiam quaisquer mudanças no *status quo* do qual se beneficiam.

Mas adivinhe? Tenho uma visão e entendo o processo pelo qual atingiremos nossas metas. Precisamos reforçar nossas forças armadas, ajudar nossos veteranos, encarar nossos inimigos, deter a imigração ilegal, reconstruir nossa infraestrutura, modernizar nosso código fiscal e o sistema educacional e extinguir as políticas ridículas do passado, incluindo o Obamacare e o "acordo" nuclear com o Irã.

Mais importante, precisamos revigorar o sonho americano e devolver nosso país aos milhões de pessoas que trabalharam tanto por tão pouco. Um número excessivo de americanos está se perguntando (e quem poderia culpá-los) sobre o que aconteceu com a grande promessa deste país e com a ideia de que cada geração melhora as coisas para seus filhos.

Não aposte contra o que digo — entendo muito bem de probabilidades — porque sempre enfrentei os desafios mais difíceis e cheguei ao topo. Meu nome tornou-se uma das marcas mais famosas do mundo. Eu sei vencer. Gosto do que Jay Leno disse na cerimônia para anunciar minha estrela na Calçada da Fama de Hollywood. "Agora é oficial", proclamou ele. "Não há lugar na América que não tenha o nome Trump estampado."

Candidatos a cargos políticos sempre dizem que estão concorrendo com base em seu histórico. Infelizmente, seus históricos se constituem deles falando sobre o que vão fazer, em vez de fazerem as coisas.

Nossa capital nacional tornou-se o centro do impasse. Parece que hoje em dia a maior parte da energia em Washington é gasta para decidir se manteremos o governo funcionando ou não. Nenhuma surpresa nisso: Washington está fazendo uma liquidação para encerramento das atividades há muito tempo.

Não é de surpreender que nosso presidente e o Congresso tenham índices de aprovação tão baixos nas pesquisas. Não é de surpreender que tenhamos perdido nossa influência e o respeito básico tanto de nossos aliados como dos inimigos por todo o mundo.

Enquanto isso, a Suprema Corte, em sua infinita sabedoria, decidiu preencher a brecha elaborando políticas sociais em vez de defender nossos bens históricos mais preciosos, a Constituição dos EUA e a Carta dos Direitos.

Temos três poderes de governo, mas o tronco da árvore está apodrecendo.

Durante anos pensei em me candidatar à presidência — mas resisti. Amigos, colegas e clientes me encorajavam a fazer algo. Eu pensava: "Não sou político e tenho uma empresa enorme e bem-sucedida para administrar".

No entanto, percebi que não conseguia suportar o que estava vendo. Não conseguia acreditar na hipocrisia e na inação do pessoal de Washington, que queria manter a mamata, enquanto fora desse círculo os americanos estavam sofrendo e legitimamente furiosos com a falta de liderança e criatividade.

Assim, quando fui a público falar, a mídia grasnou, os políticos encolheram-se, e os grupos de interesses especiais concluíram que seus dias de influência estavam contados.

Muita gente tentou com afinco pintar um quadro sombrio do que ocorreria.

Aí o povo americano falou.

Multidões começaram a ir a meus comícios. Tivemos de transferir nossos eventos para estádios de futebol e arenas de basquete, enquanto meus adversários mal conseguiam encher pequenos salões. Os debates nacionais atraíram enormes audiências — mais de 24 milhões de espectadores —, pois nossos cidadãos sentiram-se esperançosos outra vez e quiseram ouvir o que eu tinha a dizer. E o que tenho dito é que está na hora de fazermos tudo o que é necessário para Tornar a América Grande Outra Vez.

Começa pela criação de milhões de bons empregos para americanos esforçados. O Economic Policy Institute estima que perdemos mais de 5 milhões de empregos desde 1997 por causa dos terríveis acordos comerciais que fizemos. Esses empregos vão voltar para casa. Criamos muitos empregos — só que em outros países.

Nossa força militar deve ser de longe a maior do mundo, de modo que, quando negociarmos tratados com países como o Irã, o faremos a partir da força. E, quando nossos soldados voltarem para casa, devem receber o tratamento que merecem. Essa é a dívida nacional que devemos pagar com emoção.

Deverá ser construído um muro ao longo de nossa fronteira meridional. Ele precisa de belas portas para acolher os imigrantes LEGAIS, mas o fluxo de imigração ilegal deve acabar. E precisamos deter legalmente a prática da cidadania por nascimento, pois a 14ª Emenda jamais pretendeu criar uma via técnica para a cidadania. A maioria dos nativos americanos, por exemplo, embora tivesse nascido aqui, não recebia automaticamente o status de cidadão —, e levou quase 150 anos antes de ser sancionada uma lei tornando-os cidadãos caso quisessem.

E a 2ª Emenda foi criada para garantir que os americanos pudessem se proteger contra a tirania. É impossível mudarmos isso.

Um código fiscal revisado de receita neutra — que o escritor e comentarista conservador Wayne Root descreveu como "próximo da perfeição" — colocará dinheiro no bolso das pessoas mais necessitadas, e, quando você gastá-lo — e não o governo — estará criando empregos americanos. Isso vai encorajar as corporações a gastar seus rendimentos aqui, resultando em ainda mais empregos.

Nosso sistema educacional precisa preparar melhor nossas crianças e retreinar adultos para que sejam bem-sucedidos no novo mercado de trabalho digital. Ninguém sabe fazer melhor do que as comunidades locais. O governo federal não deve dizer às escolas locais como educar nossas crianças. O Common Core será extinto.

O Obamacare precisa ser repelido e substituído por um sistema sensato de atendimento à saúde, que crie um mercado competitivo que reduza custos e ao mesmo tempo atenda as necessidades médicas de todos os americanos.

Podemos criar dezenas de milhares de novos empregos pela reconstrução de nossa infraestrutura em colapso. Esses são os verdadeiros projetos de construção civil: rodovias, pontes, túneis e pistas têm de ser substituídos ou consertados antes de se esfacelarem, e isso colocará milhares de pessoas a trabalhar.

As pessoas mais poderosas em Washington são lobistas e grupos de interesses especiais, cujo dinheiro financia a maioria das eleições e compra influência. Isso tem de parar, e eleger alguém que não aceite doações delas é um bom primeiro passo.

Você pode acreditar no que digo, pois, para ver o que realizei, basta dar um belo passeio pelas maiores cidades do mundo — e olhar para cima. Olhe para cima e você verá os edifícios Trump erguendo-se aos céus.

Fiz coisas que ninguém mais fez. A Trump Tower, de 68 andares, na Quinta Avenida, ao lado da Tiffany's, era o maior edifício com fachada externa inteiramente de vidro em Manhattan quando foi inaugurado, em 1983. Foi o pioneiro da construção civil de luxo moderna.

Uma das coisas que mais me orgulham nesse prédio é que a pessoa que encarreguei para supervisionar o projeto de construção foi uma mulher de 33 anos. Tomei essa decisão em 1983, quando a luta por igualdade de gênero nos negócios estava recém-começando.

Nenhuma das pessoas que choraminga pela forma como falo com as mulheres menciona o fato de que eu voluntariamente promovi a igualdade de gênero em um setor dominado por homens. As mulheres que trabalham e trabalharam para mim garantirão que sou um chefe exigente tanto em relação a elas como aos funcionários homens.

Esse é o tipo de "igualdade de gêneros" de que necessitamos: liderança que inspire o que há de melhor nas pessoas, homens ou mulheres, não uma ex-secretária de Estado insossa que não entende a loucura de ter um servidor particular de e-mails.

Demitir temporariamente milhares de trabalhadores e deixar empresas no caos não é um feito, pelo menos não um para se orgulhar ou fingir que lhe qualifica para presidir nosso país.

Eu sempre penso grande. Começo com um plano para construir os maiores e mais belos projetos da mais alta qualidade. Se você não começa com grandes sonhos, jamais poderá realizá-los. Os edifícios Trump estão espalhados por toda Nova York, do 40 Wall Street até West Side Railway Yards. De Columbus Circle até o Trump Palace no East Side, e da região central até o SoHo Condominiums.

Isso apenas para início de conversa.

Eventualmente, iniciamos construções fora da cidade, e, atualmente, a marca Trump está em edifícios de nove estados, de Nova York ao Havaí, da Flórida a Washington, e em dez outros países, do Uruguai à Índia. Vários projetos imensos e de larga escala estão na fase de preparação e prontos para serem executados.

O 555 California Street, de 52 andares, é o segundo edifício mais alto de San Francisco e o maior em termos de área de piso utilizável. Originalmente a sede do Bank of America, esse edifício foi usado em filmes, incluindo *Dirty Harry* e *Inferno na torre*.

Certamente, qualquer pessoa adoraria visitá-lo um dia.

O Trump World Seoul consiste de seis prédios de condomínio ao longo de Seul e cidades vizinhas. A Trump Tower na Century City, revestida de vidro e comportando 220 condomínios, é um dos edifícios mais altos de Manila, nas Filipinas.

O Trump Ocean Club, de 75 andares, na cidade do Panamá, é o primeiro projeto panamenho cinco estrelas. Estamos construindo hotéis e residências luxuosas em todas as partes do mundo. Estamos representando o melhor da América mundo afora, com alguns de nossos melhores hotéis e projetos prontos para serem anunciados.

Entendo de "política externa" do ponto de vista prático: sei como fazer acordos, convidar governos estrangeiros para a mesa de reuniões e negociar contratos que não desperdicem nada. De fato, os chineses têm seu maior banco instalado na Trump Tower. Eles querem estar com Trump onde puderem.

Por isso, quando ouço políticos falando sobre alguma lei comercial em que votaram ou como equilibraram o orçamento, realmente tenho de rir. Talvez tenham experiência política, mas certamente não têm sensatez ou experiência do mundo real.

Cada projeto de construção, cada contrato, é totalmente único. Cada projeto é um número de equilíbrio incrível; tenho de agrupar a comunidade empresarial, a comunidade financeira e os dirigentes locais. Aprendi a trabalhar com ótimos arquitetos e projetistas. Fiz contratos com sindicatos e entidades comerciais.

Eu cuido de todos os detalhes. Leio as letras miúdas, diferentemente dos negociadores do "acordo" nuclear com o Irã, que não parecem saber o que está nas "entrelinhas" que o Irã firmou com a agência supostamente responsável por verificar a conformidade do país.

Quando chegou a hora de expandir, fiquei interessado em *resorts* de golfe. Quando eu era garoto, meu pai me levava para jogar golfe com ele. Ele não jogava muito, mas tinha um belo voleio. Eu olhava ao redor e o que via nos campos de golfe? Pessoas bem-sucedidas, grandes empresários.

O que faziam enquanto jogavam? Conversavam sobre acordos. Eu não conseguiria nem imaginar quantos grandes contratos foram fechados em um campo de golfe. Por isso decidi construir os melhores campos e *resorts* de golfe do mundo, e é isso que fazemos.

As pessoas pensam que é difícil criar um edifício? Tente instalar um novo campo de golfe na cidade de Nova York. Em 2015, inauguramos o Trump Golf Links at Ferry Point, no Bronx, e instantaneamente o empreendimento se tornou um dos maiores campos de golfe públicos do mundo. Trata-se do primeiro campo de golfe aberto em Nova York em mais de meio século.

Ele esteve em construção por vários anos — um verdadeiro caos.

Ninguém mais conseguiria fazê-lo. As pessoas estavam indo na outra direção. Ninguém queria assumir a fase de finalização desse projeto.

A cidade desejava a construção de um campo de golfe há décadas, mas ninguém descobria como fazer. Após os políticos arruinarem o projeto por muitos anos, convidaram um empresário, eu, para arrumar a bagunça.

Criei um campo de golfe magnífico.

Foi um enorme sucesso para a cidade e para a Trump Organization. Prometi que viriam golfistas de todas as partes do mundo para jogar uma rodada de golfe aqui no Bronx, e foi exatamente o que aconteceu.

Não quero simplesmente trazer golfistas para a América. Precisamos trazer todos os tipos de empresas de volta para a América, especialmente aquelas possuídas por americanos.

Se criarmos o ambiente fiscal apropriado e cortarmos a interminável burocracia que restringe empresas americanas de pequeno e grande porte, teremos uma real reativação do mercado de trabalho, que ajudará a criar o "pleno emprego".

Pleno emprego significa que não teremos 20% da população desempregada ou em subempregos. Pleno emprego significa que cada novo trabalhador possa sentir-se bem ao ir para a casa e para a família com orgulho de ter cumprido um árduo dia de trabalho.

Pleno emprego beneficia sindicatos e empregados; juntos, eles podem reconstruir a infraestrutura de nosso país.

Pleno emprego significa que as pessoas que agora não conseguem arcar com as hipotecas podem evitar a carga opressiva da preocupação se suas casas estão asseguradas. À medida que os bancos liberarem linhas de crédito, a nova e renovada indústria da construção civil também terá um *boom*.

Estamos num ponto crítico de nossa história, não apenas para mim ou você, mas também para os nossos filhos. A América pode estar em dificuldades, pode estar debilitada, mas pode se erguer outra vez. Nosso tempo não passou, está aqui, e o potencial é assombroso.

Os melhores dias de nosso país ainda estão por vir. Por quê? Por causa de nosso povo. Juntos, podemos Tornar a América Grande Outra Vez.

AGRADECIMENTOS

★ ★ ★

Eu gostaria de agradecer a David Fisher, Bill Zanker, Corey Lewandowski, David Cohen, Rhona Graff, Meredith McIver, Hope Hicks e Amanda Miller pelo entusiasmo e assistência durante todo o processo de escrita deste livro. Além deles, Byrd Leavell e Scott Waxman, da Waxman Leavell Literally Agency, Don Mc Gahn e Carolyn Reidy, Louise Burke, Mitchell Ivers, Jeremie Ruby-Strauss, Irene Kheradi, Lisa Litwack, John Paul Jones, Al Madocs, Jaime Putorti, Jennifer Robinson, Jean Anne Rose e Nina Cordes da Simon & Schuster contribuíram com suas expertises para o projeto e entregaram um produto final em tempo recorde. Agradeço a todas essas pessoas pelo trabalho dedicado — gostei muito de trabalhar com vocês.

MEUS DADOS FINANCEIROS PESSOAIS

★ ★ ★

Meu patrimônio líquido aumentou desde que liberei (no anúncio de minha candidatura presidencial) o demonstrativo financeiro anexo, datado de junho de 2014. O valor de meus imóveis em Nova York, San Francisco, Miami, Washington D.C., Europa e muitos outros lugares cresceu consideravelmente. Tenho pouquíssimas dívidas, e essas inclusive a baixas taxas de juro. Meu atual patrimônio líquido supera os dez bilhões de dólares.

Minha renda no ano de 2014, conforme registrado na declaração para o imposto de renda do exercício, foi de US$ 362 milhões, não incluindo dividendos, juros, ganhos de capital, aluguéis e royalties. A renda no exercício de 2015 superou US$ 600 milhões, e também tive um bom desempenho no mercado de ações. Embora essa atividade não seja algo que eu enfocasse no passado e represente apenas uma pequena parcela de meu patrimônio líquido, 40 dos 45 papéis que comprei subiram substancialmente em um curto intervalo de tempo, resultando em um ganho na venda de US$ 27.021.471 — os papéis remanescentes no portfólio têm um ganho não realizado de mais de US$ 22 milhões.

Nos formulários de revelação financeira, incluí mais de 500 entidades de negócios, 91% das quais sou o único dono, e também incluí os royalties de meu livro *A arte da negociação*, um dos livros de negócios mais vendidos de todos os tempos e que ainda vende após três décadas, bem como vários outros best-sellers de minha autoria.

Reportei ainda os recibos de meu programa televisivo *O aprendiz*. A rede NBC/Universal anunciou que o contrato estava sendo renovado, e seus executivos ficaram muito desapontados quando informei que não estaria disponível para as gravações de nossa 15ª temporada. Tentaram me convencer, mas por fim contrataram Arnold Schwarzenegger — que fará um ótimo trabalho — para me substituir. Ao longo das 14 temporadas de *O aprendiz* e *Aprendiz celebridades*, que agora está sendo transmitido mundo afora, ganhei US$ 213.606.575.

Fiquei muito contente ao preencher esse formulário e orgulhoso do que consegui realizar.

DONALD J. TRUMP
Resumo do Patrimônio Líquido
Data: 30 de junho de 2014

<u>ATIVOS</u>	
Dinheiro e Títulos Negociáveis — conforme refletido neste documento, após a aquisição e melhoria de numerosos bens (ou seja, várias aeronaves, terras, campos e resorts de golfe etc.), a quitação de diversas hipotecas e antes da cobrança de recebíveis significativos.	US$ 302.300.000
Imóveis e Propriedades Comerciais detidas 100% por Donald J. Trump através de várias entidades controladas por ele:	
Propriedades Comerciais (Cidade de Nova York)	1.697.370.000
Propriedades Residenciais (Cidade de Nova York)	334.550.000
Instalações de clubes e imóveis correlacionados	2.009.300.000
Propriedades em Desenvolvimento	301.500.000
Imóveis com a participação < 100% de Donald J. Trump	
1290 Avenue of the Americas — Cidade de Nova York	
Bank of America Building — San Francisco, Califórnia	
Trump International Hotel & Tower — Las Vegas	
Starrett City — Brooklyn, NY	
Valor Total Líquido da Dívida	943.100.000
Contratos de Licenciamento de Imóveis, Marcas e Royalties	3.320.020.000
Concursos Miss Universo, Miss EUA e Miss Teen EUA	14.800.000
Outros ativos (sem dívidas)	317.360.000
Total de Ativos	**US$9.240.300.000**
<u>PASSIVOS</u>	
Contas a pagar	US$ 17.000.000
Empréstimos e hipotecas a pagar em Imóveis e Propriedades Operacionais detidas 100% por Donald Trump	
Propriedades Comerciais (Cidade de Nova York)	312.630.000
Propriedades Residenciais (Cidade de Nova York)	19.420.000
Instalações de Clubes	146.570.000
Imóveis em Construção	7.140.000
Total de Passivos	**US$502.760.000**
PATRIMÔNIO LÍQUIDO	<u>**US$8.737.540.000**</u>
<u>**Várias doações beneficentes:**</u> Durante sua vida, Donald Trump tem contribuído muito para instituições beneficentes e organizações dedicadas à preservação de áreas abertas para uso público, doando lotes valiosos de terra por todo o país. Nos últimos cinco anos, cerca de US$ 102 milhões foram doados por ele para tais propósitos.	

SOBRE O AUTOR

★ ★ ★

DONALD J. TRUMP é a própria definição da história de sucesso norte-americana, continuamente definindo os padrões de excelência, enquanto expande suas atividades nas áreas imobiliária, esportiva e de entretenimento. Ele é o arquétipo de empresário — um executor de projetos sem igual.

Trump iniciou sua carreira empresarial em um escritório que compartilhava com o pai em Sheepshead Bay, Brooklyn, Nova York. Trabalhou com o pai durante cinco anos, nos quais estavam sempre ocupados fazendo projetos juntos. Trump já foi citado dizendo: "Meu pai foi meu mentor, e aprendi muito com ele sobre todos os aspectos da indústria de construção civil". Da mesma forma, Fred C. Trump geralmente dizia: "Alguns de meus melhores projetos foram feitos por meu filho, Donald (...) tudo o que ele toca parece virar ouro". Trump posteriormente ingressou no diferente setor imobiliário de Manhattan.

Na cidade de Nova York e mundo afora, a assinatura Trump é sinônimo de alguns dos endereços mais famosos. Entre eles estão o arranha-céu Trump Tower mundialmente renomado da Quinta Avenida e os luxuosos edifícios residenciais Trump Park, Trump Palace,

Trump Plaza, 610 Park Avenue, a Trump World Tower (o edifício mais alto no East Side de Manhattan) e Trump Park Avenue. Trump também foi responsável pela designação e construção do Jacob Javits Convention Center no terreno controlado por ele, conhecido por West 34th Street Railroad Yards, e pela restauração externa do Grand Central Terminal como parte da conversão do vizinho Commodore Hotel em Grand Hyatt. O projeto é considerado uma das restaurações de maior sucesso da cidade e rendeu um prêmio a Trump da Community Board Five de Manhattan pela "reciclagem criativa e estilosa de um hotel notável". Ao longo dos anos, Trump possuiu e vendeu muitos edifícios grandiosos em Nova York, incluindo o Plaza Hotel (que ele reformou, recuperando a antiga grandeza do prédio, conforme anunciado pela *New York Times Magazine*), o Hotel St. Moritz (chamado atualmente de Ritz-Carlton, na região sul do Central Park) e, até 2002, o terreno sob o Empire State Building (o que permitiu que o terreno e o leasing se fundissem pela primeira vez em mais de 50 anos). Adicionalmente, Trump é proprietário da loja NikeTown, localizada na rua 57 Leste e adjacente à Tiffany's. No início de 2008, a Gucci abriu sua maior loja do mundo na Trump Tower.

Em 1997, o complexo Trump International Hotel & Tower abriu suas portas para o mundo. Seu edifício residencial de 52 andares de uso misto, que abriga também um hotel superluxuoso, está localizado nos cruzamentos do West Side, na parte oeste do Central Park, em Columbus Circle. Ele foi projetado pelo arquiteto Philip Jonhson, de renome mundial, e atingiu um dos maiores preços de venda e de aluguel nos Estados Unidos. Na condição de um dos três únicos hotéis da nação a ter recebido uma dupla classificação de cinco estrelas pela *Forbes* tanto para o hotel como para o restaurante Jean-Georges, também recebeu a condecoração Diamante de Cinco Estrelas da American Academy of Hospitality Sciences e foi votado como o primeiro hotel de classe executiva da cidade de Nova York pela revista *Travel + Leisure*. A revista *Condé Nast Traveler* nomeou-o como o primeiro hotel dos EUA, e seu conceito inovador tem sido copiado pelo mundo. Ganhou a premiação de Hotel Cinco Estrelas da *Forbes* de 2009 a 2015 e foi classificado na premiação "Reader's Choice"em todos os anos desde 2010. Este ano marca o 18º aniversario dessa "gema rara" da Coleção de Hotéis Trump.

Trump foi o fomentador do maior lote de terrenos da cidade de Nova York, o antigo West Side Rail Yards, que é atualmente o Trump Place. Nesta propriedade de 100 acres, que se estende ao longo da margem do rio Hudson entre as ruas 59 e 72, concentra-se o maior desenvolvimento já aprovado pela Comissão Metropolitana de Planejamento. Há um total de 16 edifícios no local, tendo Trump erigido os nove primeiros deles; a outra parte do terreno foi vendida por uma soma substancial. Ele também doou um parque de 25 acres às margens do rio no Trump Place e um píer de quase 215 metros para a cidade de Nova York.

Outras aquisições na cidade de Nova York incluem o Trump Building, no 40 Wall Street, o edifício-marco de 72 andares e 121 mil metros quadrados localizado no Distrito Financeiro de Manhattan, em bem frente ao prédio da Bolsa de Valores de Nova York e o segundo edifício mais alto do centro de Manhattan, atrás do novo World Trade Center. Esta compra, realizada durante a queda vertiginosa do mercado nova-iorquino de imóveis, é supostamente um dos melhores negócios feitos nos últimos 25 anos, e o edifício é considerado como tendo um dos topos mais bonitos de prédios do país. Além disso, Trump construiu o edifício do 610 Park Avenue (na rua 64), conhecido antigamente como Mayfair Regent Hotel, convertido com muito sucesso em um condomínio de apartamentos superluxuosos, atingindo na época os preços mais altos da Park Avenue. Mais para o leste, adjacente ao prédio da ONU, situa-se o espetacular Trump World Tower, um prédio residencial luxuoso de 90 andares, com uma das torres residenciais mais altas do mundo. Esse edifício tem recebido resenhas extremamente elogiosas de críticos de arquitetura, com

Herbert Muschamp, do *New York Times*, chamando-o de "um lindo naco de torre de vidro". Da mesma forma, esse prédio é considerado como tendo uma das mais bem-sucedidas torres de condomínio já construídas no país.

Em 2001, Trump anunciou planos para sua primeira incursão em Chicago, onde construiu o complexo Trump International Hotel & Tower/Chicago. A torre de 92 andares, de uso misto, ocupando 251 mil metros quadrados, está localizada às margens do rio Chicago, diretamente a oeste da Michigan Avenue (o local mais proeminente da cidade), e é um dos prédios residenciais com uma das torres mais altas do mundo, além de ser o nono prédio mais alto do mundo. O escritório de arquitetura é Skidmore, Owings & Merrill de Chicago, e a torre ainda inclui quatro níveis de lojas de varejo. O hotel inaugurou em janeiro de 2008 com uma grande aclamação e em 2010 recebeu o prêmio da revista *Travel + Leisure* como o hotel número 1 nos Estados Unidos e Canadá, bem como o prêmio de "Melhor Hotel Executivo do Mundo" em 2014. A revista *Condé Nast Traveler* tem classificado o hotel em seus "Reader's Choice Awards" todos os anos desde 2011.

Em 2002, Trump comprou o lendário Delmonico Hotel, localizado na rua 56 com Park Avenue, e remodelou-o como um moderno condomínio de luxo de 35 andares denominado Trump Park Avenue. O desejo de Trump era de que o empreendimento fosse um dos mais luxuosos da cidade de Nova York, o que foi conseguido. A obra tem sido aclamada por uma série de publicações por ter conservado a grandeza e o charme do edifício original, ao mesmo tempo incorporando serviços e confortos do século 21. Trump é coproprietário, juntamente com o Vornado Realty Trust, da icônica torre no 555 California St. (edifício Bank of America), em San Francisco, um dos mais importantes prédios de escritórios na Costa Oeste dos Estados Unidos, e o premiado edifício do 1290 Avenue of Americas, um dos maiores prédios de Nova York, com as maiores plantas de escritório da cidade.

O portfólio de valores imobiliários inclui ainda o Trump National Golf Club em Westchester, Nova York, um.condomínio residencial e campo de golfe com a assinatura Fazio, e um imóvel de 250 acres conhecido como Mansion of Seven Springs, a antiga casa de Katharina Grahan (do *Washington Post*), que será remodelado como condomínio de moradias de luxo de classe mundial. Ele ainda comprou um dos maiores lotes de terra na Califórnia, de frente para o Oceano Pacífico. Foi construído nesse local o Trump National Golf Club/Los Angeles, que abriga o campo de golfe do campeonato Donald J. Trump e que foi votado como o melhor campo de golfe da Califórnia. Serão construídos mais 75 imóveis de luxo. Destaca-se também o Trump National Golf Club, com projeto de Tom Fazio, em Lamington Farms, Bedminster, Nova Jersey, na Propriedade Cowperthwaite, de 525 acres, considerado o melhor do estado. Um campo adicional com 18 buracos foi aberto recentemente. Em novembro de 2008, Trump recebeu autorização para desenvolver o Trump International Golf Links, localizado em Aberdeen, Escócia, com mais de 5 mil metros espetaculares à beira-mar (no Mar do Norte). Ele foi aberto em 10 de julho de 2012, e um segundo campo de golfe, com 18 buracos, já foi aprovado. Em julho de 2013, a revista *Golf Week* indicou o Trump International Golf Links como o "Melhor Campo de Golfe da Era Moderna". Em agosto de 2008, Trump comprou um campo de golfe em Colts Neck, Nova Jersey, que é agora o Trump National Golf Club/Colts Neck, e em fevereiro de 2009 comprou um lote de 800 acres próximo de Washington D.C., com quase 5 mil metros às margens do rio Potomac, para se tornar o Trump National Golf Club, Washington D.C. Foram adicionados mais dois campos de golfe ao seu portfólio em dezembro de 2009, o Trump National Golf Club–Philadelphia, e o Trump National Golf Club–Hudson Valley. Em abril de 2010, um novo reality show de celebridades, *Donald J. Trump's Fabulous World of Golf* (O mundo fabuloso do golfe de Donald J. Trump), estreou no Golf Channel com grande sucesso.

Em Palm Beach, Trump converteu a famosa e histórica propriedade de Marjorie Merriweather Post e E. F. Hutton, Mar-a-Lago, no privado e ultraluxuoso Mar-a-Lago Club. O empreendimento recebeu a condecoração da American Academy of Hospitality Sciences como "Melhor Clube do Mundo". Em 1980, Mar-a-Lago foi declarado Patrimônio Histórico Nacional e geralmente é referido como a "Joia de Palm Beach". Também nessa localidade, a sete minutos de Mar-a-Lago, está localizado o Trump International Golf Club. Projetado pelo afamado arquiteto Jim Fazio, esse campo de golfe de US$ 40 milhões apresenta uma magnífica paisagem tropical, com fontes, riachos e elevações de 30 metros (sem precedentes em toda a Flórida). Inaugurado em outubro de 1999, esse complexo esportivo tem sido aclamado como um dos melhores dos Estados Unidos. Um campo adicional com 9 buracos foi inaugurado em 2006, com os mesmos elogios.

A Trump Hotel Collection foi criada para estabelecer um novo nível de hotéis internacionalmente importantes, definidos pela elegância e atenção aos detalhes. Uma das mais sofisticadas adições ao cenário de Las Vegas é um complexo de condomínio, hotel e torre ultraluxuoso, de 60 andares, o Trump International Hotel Las Vegas. Este hotel foi apontado pelo *USA Today* como o "Melhor de Las Vegas" em 2012 e listado na *Travel + Leisure* como um dos "Melhores Hotéis Executivos do Mundo" em 2011. Atuais e futuros empreedimentos da Trump Hotel Collection incluem torres no Soho/Nova York (inaugurada em 2010 e já na lista dos melhores novos hotéis da revista *Travel + Leisure* — o único na cidade de Nova York a ser incluído —, bem como a distinção Cinco Diamantes AAA em 2013 e 2014 e o "Prêmio de Melhor Hotel Executivo do Mundo: Nova York em 2011), Chicago (inaugurado em 2008), Waikiki/Havaí (inaugurado em novembro de 2009, recebeu classificação de hotel cinco estrelas do Guia de Viagem *Forbes* em 2015), Panamá (inaugurado em julho de 2011, recebeu o prêmio de "Top 10 Luxury Hotel Openings" da

Luxury Travel Advisors em 2011), Toronto (que recebeu classificação de cinco estrelas da *Forbes* em 2014), Trump National Doral Miami (que finalizou sua transformação de US$ 250 milhões no início de 2015) e o Trump International Golf Links & Hotel Ireland (uma aquisição altamente disputada da Trump Organization em 2014). Empreendimentos hoteleiros internacionais em 2015 incluem Baku, Azerbaijão (inaugurado em junho de 2015); Vancouver, Colúmbia Britânica; e Rio de Janeiro, ambos inaugurados em 2016. As Trump Towers, Istambul, Sisli, combinam duas torres (uma residencial e outra comercial), localizadas no vibrante distrito de Mecidiyeköy.

Em fevereiro de 2012, a Trump Organization foi selecionada para ser a desenvolvedora do famoso antigo prédio dos correios em Washington, D.C. O edifício é considerado uma joia valiosa, e a competição pelas obras de restauração foi acirrada. Os planos incluem um hotel superluxuoso de 300 quartos, uma galeria de museu e a preservação da fachada exterior, portas, corredores, e outras características originais do interior. Inaugurado em 2016, o Trump International Hotel Washington, D.C., localizado na Pensylvannia Avenue, é um dos mais luxuosos do mundo, sendo visto como um ativo de gerações da família Trump.

Saindo das aquisições de propriedades, Trump e a rede televisiva NBC foram sócios nos direitos de propriedade e de transmissão para os três maiores concursos de beleza do mundo: Miss Universo, Miss EUA e Miss Teen EUA. Trump recentemente comprou a parte da NBC e, em seguida, vendeu toda a companhia para a IMG. A Trump Model Management, fundada em 1999, tornou-se uma das principais agências de modelos da cidade de Nova York.

Trump reconstruiu o Wollman Skating Rink no Central Park. Esse projeto foi particularmente especial para ele. A cidade já tentava reconstruir e restaurar o rinque há sete anos quando Trump intercedeu e restaurou o rinque em quatro meses ao custo de apenas US$ 1,8 milhão, contra o custo estimado de US$ 20 milhões da cidade. Similarmente, reconstruiu o Lasker Rink, no Harlem, localizado também no Central Park, que também é um grande sucesso. Trump recebeu os créditos por ter eleito um prefeito e promovido um impacto muito favorável na economia da cidade ao criar o boom de condomínios, contrastando com os apartamentos tradicionais mais prevalentes no passado.

Autor consagrado, sua autobiografia de 1987, *A arte da negociação*, tornou-se um dos livros de negócios mais bem-sucedidos de todos os tempos, tendo vendido mais de quatro milhões de exemplares e figurado no topo da lista de best-sellers do *New York Times* por várias semanas. A sequência, *Surviving at the Top* (Sobrevivendo no topo), esteve na lista de best-sellers do mesmo jornal, chegando também a atingir o topo, bem como seu terceiro livro, *The Art of Comeback* (A arte do regresso). Seu quarto livro, *The America We Deserve* (A América que merecemos), afastou-se do estilo literário prévio. Este livro trata das questões mais importantes para o povo norte-americano hoje em dia e enfoca os pontos de vista de Trump relativos aos problemas econômicos, políticos e sociais dos Estados Unidos. Seu quinto livro, *How to Get Rich: Big Deals from the Start of* The Apprentice (Como ficar rico: grandes negócios desde o início do *Aprendiz*), tornou-se um best-seller imediato em todas as listas, a exemplo de *Trump: The Way to the Top* (Trump: o caminho até o topo) e *Trump: Think Like a Billionaire* (Trump: pense como um bilionário), lançados em outubro de 2004. *Trump: The Best Golf Advice I Ever Received* (Trump: o melhor conselho de golfe que já recebi) foi publicado em abril de 2005, seguido por *Trump: The Best Real Estate Advice I Ever Received* (Trump: o melhor conselho imobiliário que já recebi) em 2006. Ele também fez parceria com Robert Kiyosaki para fazer história com o livro *Why We Want You to Be Rich: Two Men, One Message* (Por que queremos que você fique rico: dois homens, uma mensagem), que, em outubro de 2006, atingiu o 1º lugar nas listas de mais vendidos do *New York Times*, *Wall Street Journal* e Amazon. *Trump 101: The Way to Success* (Trump 101: o caminho para o sucesso) foi lançado no final de 2006. *Think Big* (Pense grande), livro de Trump com Bill Zanker, foi lançado em outubro de 2007. No início de 2008, Trump lançou *Never Give Up* (Nunca desista), seguido por *Think Like a Champion* (Pense como um campeão) em abril de 2009. *O toque de Midas*, outra colaboração com Robert Kiyosaki, foi publicado em outubro de 2011. *Time to Get Tough: Making America ≠ 1 Again* (Hora de ser firme: tornando a América a número 1 de novo) foi lançado no início de dezembro de 2011, virando um best-seller.

Nascido na cidade de Nova York, Trump formou-se pela Wharton School of Finance e, em 1984, ganhou o prêmio de Empreendedor do Ano pela mesma instituição. Envolvido em várias organizações beneficentes e civis, é membro da diretoria da Liga Atlética da Polícia. Trump atua ainda como presidente da fundação que leva seu nome, bem como copresidente do Fundo Memorial dos Veteranos da Guerra do Vietnã. Em 1995, serviu como grande marechal da maior parada já realizada em Nova York, a Nation's Parade, que celebrou o 50º aniversário do fim da Segunda Guerra Mundial. Em 2002, Trump recebeu uma honraria da USO por suas iniciativas em nome das forças armadas norte-americanas. Ele é o anfitrião do baile anual da Cruz Vermelha em seu clube Mar-a-Lago, em Palm Beach. Em janeiro de 2012, recebeu o prêmio da Sociedade Americana do Câncer pelo conjunto da obra. Em abril de 2015, Trump recebeu a distinção Commandant's Leadership da Marine Corps–Law Enforcement Foundation, concedida a ele pelo general Joseph F. Dunford Jr., chefe do Estado-Maior das Forças Armadas.

Trump é membro fundador do comitê para a construção da catedral de São João, o Divino, e do Wharton School Real Estate Center, além de membro do comitê da Celebration of Nations comemorando o 50º aniversário das Nações Unidas e da UNICEF. Ele foi apontado como "O Construtor do Ano" pela Construction Management Association of America e Construtor Master pelo New York State Office of Parks, Recreational & Historic Preservation. Em junho de 2000, Trump recebeu sua maior honraria de todas, Visionário de Hotéis e Imóveis do Século, concedida pela UJA Federation, e em 2003 foi nomeado para o conselho de benfeitores da Sociedade Histórica do Condado de Palm Beach. Em 2007, recebeu a premiação "Green Space" dos amigos de Westchester County Parks, ao doar 436 acres de terra em Westchester, Nova York, para criar o Donald J. Trump State Park.

Em janeiro de 2004, Trump uniu forças com a Mark Burnett Productions e a NBC para produzir e estrelar o reality show *O aprendiz*, que rapidamente se tornou o programa de maior audiência da TV, obtendo índices históricos e resenhas elogiosas. A final da primeira temporada teve os maiores índices de audiência daquele ano na televisão depois do Superbowl, com 28 milhões de espectadores. Poucos programas atraíram a atenção mundial como o *Aprendiz*, que teve três indicações para o Emmy. Em 2007, um artigo do *New York Times* citou Ben Silverman, presidente da NBC, dizendo que *O aprendiz* "havia sido a mais bem-sucedida série de realities da história da NBC". *The Celebrity Apprentice* (O aprendiz celebridades) também teve um enorme sucesso, sendo um dos programas de maior audiência da televisão. A série *O aprendiz* atingiu um recorde de 14 temporadas no ar. Em 2005, Trump apresentou o *Saturday Night Live*, resultando em uma das audiências mais altas do programa naquele ano. Além disso, ele está produzindo programação para canais a cabo e redes de TV via uma produtora localizada em Los Angeles, a Trump Productions LLC. Seu programa radiofônico com a Clear Channel Radio, subsidiária da Premiere Radio Networks, que começou no verão de 2004, foi um estrondoso sucesso.

Na edição de 21 a 28 de agosto de 2006 da revista *Business Week*, Trump foi votado pelos leitores como "o empreendedor mais competitivo do mundo" e eleito pela equipe e leitores da revista como um dos 10 empresários mais competitivos do mundo. O sucesso contínuo dos negócios da Trump Organization foi reconhecido pela lista da *Crain's*

New York Business com o 1º lugar como maior empresa privada de Nova York. Também renomado por seu status de celebridade, a *Forbes* classificou Trump como uma das principais celebridades do mundo. Trump foi uma de apenas duas pessoas (a outra foi Hillary Clinton) indicadas duas vezes para o especial de Barbara Walters, da ABC, *As pessoas mais fascinantes*, mais recentemente no show que ela apresentou em 2011.

Trump é um dos palestrantes mais bem pagos do mundo, geralmente atraindo dezenas de milhares de pessoas. Em setembro de 2011, deu uma palestra em duas cidades australianas por mais de US$ 5 milhões e recebeu dezenas de milhões de dólares por palestras ao longo de sua carreira. Em outubro de 2012, Trump falou em Londres no National Achievers Congress. Em janeiro de 2007, recebeu uma estrela na Calçada da Fama de Hollywood e, em 2008, "Você está demitido!" foi listado como o 3º melhor bordão televisivo de todos os tempos, perdendo somente para "Aqui está Johnny" e "Um pequeno passo para um homem...". Em março de 2013, Trump foi induzido ao Hall da Fama da WWE diante de 25 mil fãs no Madison Square Garden. O motivo para essa grande honraria foi ele ter patrocinado dois dos mais bem-sucedidos eventos de WrestleMania de todos os tempos, mas, ainda de maior importância, foi ele e Vince McMahon participarem da 23ª "Batalha dos Milionários" da WrestleMania em 2007 no Detroit Stadium, que até hoje é o show mais assistido e de maior faturamento do sistema pay-per-view na história da luta livre. Em abril de 2013, o *New York Observer* indicou Trump como o número 1 na Power 100 Readers Poll. Nesse mesmo mês, ele discursou no jantar anual Lincoln em Michigan, que foi o maior jantar da série em seus 124 anos de história e o maior evento da modalidade na história do país em que o orador não foi o presidente. Ainda em 2013, Trump recebeu o T. Boone Pickens Award do *American Spectator* no Robert L. Bartley Gala. O altamente respeitado escritor Joe Queenan, após ouvir a fala de Trump em um evento Learning Annex em 2006, escreveu que os US$ 30 milhões pagos pelas participações dele talvez fossem muito pouco.

No programa *Larry King Show* em junho de 2008, Barbara Corcoram, uma expert em imóveis muito respeitada, disse: "Como é possível eu competir com Donald Trump? Graças a ele, vendi mais propriedades em Manhattan. Ele sozinho mudou toda a imagem de Manhattan por volta da década de 1980, quando ninguém queria morar em Nova York". Robert Kyosaki, autor de *Pai rico, pai pobre*, acrescentou: "Donald é o homem mais esperto do ramo de imóveis — nenhuma outra pessoa chega nem perto dele". Em um artigo do *New York Times*, em novembro de 2013, perguntaram a Arthur Zeckenford, um construtor nova-iorquino de condomínios ultraluxuosos, qual era a pessoa que mais o influenciara na indústria: "Penso que Donald Trump. Ele basicamente começou o nicho dos condomínios de alta qualidade. Eu certamente o seguia, admirava". Quando perguntado sobre o que aprendera especificamente, respondeu: "Construir ótimos condomínios é uma arte, e você realmente tem que entregar o melhor produto do mercado".

Em julho de 2008, Trump vendeu um imóvel que comprara (pouco tempo antes) por US$ 40 milhões no 515 South Ocean Boulevard, em Palm Beach, por um preço recorde de US$ 100 milhões, e, em março de 2010, o apartamento de cobertura no Trump International Hotel & Tower na Cidade de Nova York foi vendido por US$ 33 milhões. Em maio de 2011, comprou o Kluge Estate and Vineyard em Charlestown, Virginia, agora Trump Vineyard Estates. Trata-se do maior vinhedo da Costa Leste.

Em fevereiro de 2012, ele comprou o icônico Doral Hotel & Country Clube, de 800 acres, em Miami, que inclui cinco campos de golfe profissionais, o campo de golfe Blue Monster, de renome internacional, um spa de 4,6 mil metros quadrados e um hotel com 700 quartos. O complexo abriga o Cadillac World Championship of Golf. Em abril de 2012, comprou o Point Lake & Golf Club na Carolina do Norte, que se tornou o Trump National Golf Club, Charlotte, e em dezembro de 2012 comprou o Ritz Carlton Golf Club em Júpiter, Flórida, que agora é o Trump National Golf Club, Júpiter. Em abril de 2013, foi anunciado o Trump International Golf Club, Dubai; e o Trump Estates, que inclui mais de 100 casas de campo luxuosas nas encostas que circundam o campo de golfe, foi liberado para venda em março de 2014. O Trump Golf Links at Ferry Point, Bronx, cidade de Nova York, foi inaugurado em maio de 2015. Como Jack Nicklaus disse: "Trump é muito, muito bom em fazer coisas na cidade. Penso que ele forçou o limite. Fez um trabalho realmente bom para chegar ao fim da obra". O clube ficou em construção durante décadas, com gasto mais de US$ 200 milhões de dinheiro dos contribuintes. Quando Trump se envolveu, o empreendimento foi concluído em um ano, projetado por Jack Nicklaus. Todos esses empreendimentos estão destinados a tornar-se grandes adições para um crescente portfólio de campos e clubes de golfe.

Em fevereiro de 2014, Trump anunciou a compra do Doonbeg Golf Resort na Irlanda, que se tornaria o Trump International Golf Links & Hotel, Irlanda. Essa propriedade de 450 acres fica de frente para o Oceano Atlântico em County Clare. Ela atualmente está sendo totalmente remodelada por Trump. Em abril de 2014, ele comprou o afamado Turnberry Resort na Escócia, casa do Campeonato Aberto de Golfe. Ocupando mais de mil acres, e no mar Irlandês e ilha de Arran, muitos acreditam que será o melhor campo profissional do mundo. Além disso, em abril de 2014, a PGA americana anunciou que seu Campeonato de 2022 será disputado no Trump National Golf Club, Washington D.C. Em outubro de 2014, foi anunciado que o Trump World Golf Club Dubai, um campo de 18 buracos, será projetado por Tiger Woods. O Women's British Open 2015 foi disputado no Trump Turnberry em julho de 2015.

Recentemente, Trump foi reconhecido pela revista *Golf Digest* como o "Maior Construtor de Campos de Golfe da Atualidade" e pela *Sports Illustrated* como a "Personalidade Mais Importante do Mundo do Golfe". Brian Morgan, o principal fotógrafo de golfe do mundo, disse que "Donald Trump tem a maior coleção de campos e clubes de golfe já construídos ou montados por um homem".

Em 16 de junho de 2015, Trump anunciou oficialmente sua candidatura para a presidência dos Estados Unidos.

Algumas das propriedades detidas e/ou construídas e geridas ou licenciadas por Donald J. Trump e Organização Trump

- Trump Tower
- Trump World Tower
- Trump Parc
- Trump Parc East
- Trump Park Avenue
- Trump Palace
- Trump Place
- 610 Park Avenue
- Trump Plaza
- Trump International Hotel & Tower Nova York
- Trump International Hotel & Tower Chicago
- Trump International Hotel Las Vegas
- Trump International Golf Links, Abeerden (Hotel + Golfe)
- Trump International Golf Links & Hotel, Doonbeg, Irlanda (Hotel + Golfe)
- Trump Turnberry, Escócia (Hotel + Golfe)
- Trump International Hotel, Washington D.C. *(Trump garantiu o contrato por meio da GSA como o construtor preferido para o icônico antigo prédio dos correios. Este foi considerado um dos projetos mais concorridos na história da GSA.)*
- Trump International Golf Club, Palm Beach
- Trump National Golf Club, Jupiter
- Trump National Golf Club, Washington, D.C.
- Trump National Doral, Miami (Hotel + Golfe)
- Trump National Golf Club, Colts Neck
- Trump National Golf Club, Westchester
- Trump National Golf Club, Hudson Valley
- Trump National Golf Club, Bedminster
- Trump National Golf Club, Filadélfia
- Trump National Golf Club, Los Angeles
- Trump National Golf Club, Charlotte
- Trump Golf Links em Ferry Point (construtor e operador)
- The Albermarle Estate na Vinícola Trump
- Trump Vineyard Estates

- The Mar-a-Lago Club
- The Estates, na Trump National, LA
- Le Chateau des Palmiers, St. Martin
- Trump Seven Springs, Bedford, NY
- Casas conjugadas adjacentes ao Trump Plaza, cidade de Nova York
- Duas casas particulares em Palm Beach, ao lado do Mar-a-Lago Club
- Casa particular em Beverly Hills
- 40 Wall Street
- Trump Tower
- Niketown
- 1290 Avenue of the Americas, em sociedade com Vornado
- 555 California Street, em sociedade com Vornado
- Dois shopping centers na cidade de Nova York
- Trump Tower Mumbai, Índia
- Trump Towers Pune, Índia
- Trump Towers Istambul
- Trump Tower Punta del Este
- Trump Tower na Century City, Filipinas
- Trump Hollywood
- Trump International Beach Resort, Miami
- Trump Towers Sunny Isles
- The Estates no Trump International Golf Club, Dubai
- Trump Hotel Rio de Janeiro
- Trump International Hotel & Tower Waikiki
- Trump Ocean Club, Panamá
- Trump International Hotel & Tower Vancouver
- Trump International Hotel & Tower Toronto
- Trump SoHo Nova York
- Trump Tower no City Center
- Trump Plaza New Rochelle
- Trump Parc Stamford
- Trump Park Residences Yorktown
- Trump Plaza Residences Jersey City
- Projetos de hotel recentemente anunciados em Lido & Bali
- Trump World Golf Club, Dubai
- Trump International Golf Club, Dubai

- Trump ainda opera o icônico Wolmann Rink, o Lasker Rink e o famoso Carrossel, todos localizados no Central Park.

Aeronaves corporativas de posse de Donald J. Trump:

- Boeing 757
- Cesna Citation X
- 3 helicópteros Sikorsky 76